コロナ
パンデミックは、
本当か？

――コロナ騒動の真相を探る――

CORONA FEHLALARM?
Zahlen, Daten und Hintergründe

スチャリット・バクディ＆カリーナ・ライス［著］
鄭 基成［訳］　大橋 眞［監修・補足］

ni 日曜社

コロナパンデミックは、本当か？

――コロナ騒動の真相を探る

スチャリット・バクディ＆カリーナ・ライス（著）
鄭 基成（訳）
大橋 眞（監修）

CORONA FEHLALARM?

Zahlen, Daten und Hintergründe

コロナパンデミックは、本当か？——コロナ騒動の真相を探る

目次

※文中（　）内は①著者による補足記述、②訳者による注釈（小さめの文字で二つ折り）の2種類です。

はじめに

悪夢の始まり？

２０２０年、最初の数カ月間、未曾有の悪夢が世界を襲った。コロナだ。恐ろしい映像が、中国から、そしてイタリアその他の国々から送られてきた。今後予想される死亡者の数が、買いだめに走る人々や空っぽになったスーパーの棚の映像とともに伝えられる。メディアはコロナ一色だ。朝も、昼も、夜も——何週間にもわたって、ラジオ、テレビ、ネットを通じて、スマートフォンのお天気アプリにも、コロナ・ティッカー（感染者数・回復者数・死亡者数を逐次グラフにしたもの）が数字を刻んでいる。それに加えて、情け容赦のない隔離措置が世界中でとられる。家から外に一歩踏み出せば、そこはシュールな世界だ——どこにも人の影すらなく、代わりに見えるのは空っぽの道、人気のない街、行き交う人のいない岸辺。ドイツでは、第二次世界大戦終結後ドイツ連邦共和国建国以来、経験したことのない人権の制限が行われた。社会生活と経済の崩壊は覚悟の上だった。しかしそれは、国家が本当の危急存亡の時を迎えたときにのみ許されることなのだ。果たしてコロナ禍は、本当にそのような危機だったのだろうか？

本書は、ドイツ国民のために書かれており、ドイツでの出来事が中心である。とはいえグローバルな展開を見れば、問題の本質はどの国や地域においても同じものである。本書では、ドイツにおける様々な出来事の他に、免疫の問題とウイルスに対するワクチンの開発にまつわる新しい問題を扱うつもりだ。本書の目的は、読者が自分なりの結論を得ることができるために、事実とその背景についての情報を提供することである。本書で述べる私たちの意見は、読者自身が精査し、自分の頭で考えるための材料に過ぎない。批判と異議申し立ては大いに歓迎したい。科学的な議論では、あらゆる仮説には反仮説があって然るべきであり、両者の統合により最終的には潜在的な不一致が解決され、結果として、人類の利益のために前進することが可能になる。私たちは、すべての読者が私たちの見解を共有してくれることを期待してはいない。しかし、私たちは、この深刻な問題を抱えた世界のすべての市民の利益のために、オープンで旺盛な議論に火をつけることができればと思っている。

すべてはこうして始まった

２０１９年12月、中国湖北省の人口１、１００万人の都市武漢で、新種のコロナウイルスに感染したと思われる発病者が数多く出現した。この新型のウィルスはのちにSARS-CoV-2（重症急性呼吸器症候群コロナウイルス２）と名づけられ、その疾病はCOVID-19と命名された。発生後２０２０年１月には中国で感染症となり、まもなく近隣諸国に広がりを見せ、ついには世界全域を覆うまでになった（1、2、3）。

コロナウイルス——基本的なこと

コロナウイルスには様々なものがあり、それらは世界中で広く人間と動物の体内に存在しており、常に変化を遂げている(4、5)。つまりこのウイルスは多くの親類を持った大家族なのだ。《普通の》コロナウイルスは、世界中の従来の風邪の10〜20%の原因であり、古典的なインフルエンザ感染の症状を引き起こすこともある。しかし、感染者の多くは、感染しても自覚症状がない。つまり、無症状の感染なのだ(6)。中には、喀痰を伴わない咳をするなど、軽度の症状が現れる場合や、それに発熱や関節の痛みを伴う場合も見られる。ごく稀ではあるが、すでに心臓や肺に疾患を持った高齢者が感染した場合、重篤化し死亡することもあり得る(7)。コロナウイルス感染を検出するための手立ては、多くの費用がかかるだけで、臨床上の意味は認められず、めったに行われることはない。抗ウイルス剤の模索やワクチンの開発も同様に無意味だ。

これまでにコロナ・ファミリーの中で注目されたのは、2種類のコロナウイルスのみである。まず、2003年にSARS-ウイルス（公式名称はSARS-CoV）が世の中に登場した時、世界中が息を潜めた。このウイルスは、《普通の》コロナウイルスとは違い、実際に危険なものであった（致死率約10％）。ただし、感染力が弱いため、従来通りの隔離措置によって感染拡大を防ぐことができ、死亡者数は世界中で774人《だけ》であった(8、9)。このように危険性が《見通しのきく》ものであったにもかかわらず、《SARS・恐怖症》が世界を覆い、400億米ドルもの経済的損失につながった(8)。その後、コロナウイルスのことは人々の記憶から消えた。ただしそれも2012年に新型のコロナウイルスであるMERS-CoVが出現するまでのことだった。これは中東において猛威を振るい、致死率は30％を超えるものであった。だが、このウイルスも、終息後に振り返ってみれば、死亡者数が世界中で858人という少ない数であり、SARS-CoVと同様に、地球規模の危険性はないものと判明した(10)。

スタート地点としての中国――新型の亜種は特に危険であるらしい？

新型の亜種の登場が中国から報じられた時、最も重要な疑問は次のようなものであった。これは、コロナの《普通の》他の親類と同じように大して危険性のないものなのか、それとも大変危険なＳＡＲＳ-型なのか、あるいはＳＡＲＳよりもっと危険で感染力があるのか？

中国発のメディア映像と最初のデータは、後者の可能性を示すものであった。ウイルスは急激な広がりを見せ、多くの死者が出ている模様だ。どうすればいい？　人権というものが十分に確立されていない国家である中国は、過激な措置に賭けた。武漢市と他の５つの都市が軍によって封鎖され、外部世界と完全に遮断されたのである。公式の統計によれば、疫病終息後の累計感染者数は８３、０００人、そして死亡者数は５、０００人弱であった。人口14億人の国としてはほんのわずかの数だ。ロック・ダウンは成功したように思える――それとも、この新型ウイルスはそれほど危険なものではなかったのだろうか？　それはともあれ――中国は（ほぼ）全世界の国々の模範となった。

次に、北イタリアからの悪い知らせだ。ここでもウイルスの広がりは早く、心配になるほど多くの人々が死んだ。恐ろしい映像がメディアによって拡散された。題して、《戦時下のようだ》(10)。

しかし、北部以外のイタリアの都市やイタリア以外の多くの国々では、コロナウイルス感染による《死亡率》ははるかに低いものだった――例えば韓国など。

同一のウイルスが国によってより危険であったり、そうでなかったり、ということはあり得るのだろうか？

多分あり得ないだろう。

第一章

新型《キラーウイルス》はどれほど《危険》なのか？

これまでのコロナウイルスと比べて

　このウイルスが引き起こした脅威が本当はどれほどのものか、それを測定することは、当初は不可能だった。メディアや政治家は最初から、データ取得の根本的な欠陥、特に世界保健機関（ＷＨＯ）によって定められた医学的に間違った定義に基づいて、歪んだ、誤解を招く画像や映像を拡散している。ウイルスに対するＰＣＲ検査が陽性であれば、臨床診断がどうであれ、COVID-19の症例として報告しなければならなかった。この定義は、感染症学における基本的ルールの許しがたい違反である。すなわち、「感染」(病原体の宿主への侵入と増殖)と「感染症」(感染による病気)を区別する必要性があるというルールだ。COVID-19は、感染者の約10%にしか発生しない重篤な病気の名称であるのに、不適切な定義ゆえに、「症例」の数が急増し、このウイルスが世界中の人々の生存に関わる脅威のリストのトップに躍り出たのだ。

もう一つの重大な間違いは、ウイルスに陽性反応を示したすべての死亡者が、コロナウイルスの犠牲者として公式記録されたことである。この報告のやり方は、すべての国際的医療ガイドラインに違反している。癌で死亡した患者の死因をCOVID-19だとすることが、どれほど馬鹿げたことであるかは、言うまでもない。相関関係は因果関係を意味するものではない。これは、世界を大惨事に追い込むように仕組まれた因果関係の誤りであった。このウイルスを取り巻く真実は、噂や、作り話や、思い込みが混在した闇に包まれたままであった。

《新型》コロナウイルスの《危険性》について発言することは当初は不可能だった。理由としては、信頼に足るデータの蓄積がなく、数字が任意にごちゃ混ぜにされていたからだ。当初から政治とメディアが一体となって、漠然として、かつミスリーディングなイメージを拡散した。常在するいろいろな種類のコロナウイルスとは違って、この新たな変種に対しては狙いを定めたウイルス狩りが始められた。検査結果陽性者は誰でも、感染症学では常識になっている《感染》と深刻な発症との区別なく、新規の《ケース（事例）》として登録された。それによってたちまちにしてこのウイルスが、まるで世界にとって大いなる脅威であるかのように事態は発展した。なぜなら、感染者数が——愚かにも発症者数と同一視され——検査による陽性率の増加に伴って急激に増加したからだ。同様に問題なのは次のことである。すなわち、死亡者のうち、このウイルスに感染していたと確認された人たち全員が、コロナによる犠牲者として公式に登録されたという事実である。それは現在に至るまで行なわれていることであるが、医療における指針に反することである(11)。

暗がりに最初の光をもたらしたのは、3月19日に発表されたフランスにおける臨床研究だ(6)。この研究では、約8、000人の呼吸器疾患を持った患者を、従来型コロナウイルスを持っていたグループと、SARS-CoV-2を持っていたグループに分けて、2カ月間にわたって死亡者の記録がとられた。しかし、死亡者数は2つのグループで有意な差はなく、「COVID-19」の危険性はおそらく過大評価されている、という結論に至った。その後の研究で、同研究チームは、フランス南東部の2018年から2019年および2019年から2020年(47週目から14週目)の寒い時期の呼吸器ウイルスの診断に関連する死亡率を比較した。全体として、入院患者のうちの呼吸器ウイルス関連死亡者の割合は、2019年/2020年では、前年よりも著しく高いということはなかった(18)。したがって、ウイルス性病原体の種類としてSARS-CoV-2を追加しても、呼吸器疾患患者の全体的な死亡率には影響しなかったのである。

患者が通常の、これまでは特に注目されてこなかったコロナウイルスを持っていたのか、それとも新たな《キラーウイルス》を持っていたのかは、重要な問題ではなかったのだ。この研究に参加した研究者たちが到達した結論は、《COVID-19-問題》は、おそらくこのウイルスを危険視しすぎたことにある、ということである。

科学的な根拠に基づいた同研究が2020年3月19日に発表されて以来、これと同等のレベルの研究で、この結論に異を唱えるものは未だない。

死亡者数について

病原体の危険度を判断するために見るべき最も簡単なことは次の二点である。第一に、何人の人が感染したか？　そして第二に、感染者の何人がその病原体によって死亡したか？

まず、第一の点から見てみよう。

第一点　何人の人が感染したのか？

ここで我々は３つの大きな問題に直面させられる。

問題１　ウイルス検出のＰＣＲ検査はどの程度に正確なのか？

ウイルスは鼻咽頭に約２週間以上存在するので、その間に検出できる。これは実際どのように行われるのだろうか？　ウイルスＲＮＡをＤＮＡに転写した後に、いわゆるポリメラーゼ連鎖反応（ＰＣＲ）によって定量化する。新しいコロナウイルスの最初の評価分析は、ドロステン教授（Chr. Drosten）（ベルリン医科大学シャリテー正教授。コロナウイルス・パンデミックに関して、政府見解を代表する立場にある一人）の指導の下で開発された。この検査は、発生の最初の数か月間に世界中で使用された(12)。他の研究所においても、この検査法が踏襲された(13)。

診断用PCR検査は、通常、厳格な品質評価を受け、使用前に規制当局の承認を受ける必要がある。実験室でのPCR検査では100%正しい結果が得られないため、これは重要である。国際的な緊急性が宣言されたため、SARS-CoV-2の場合、品質管理要件は基本的に保留された。したがって、PCR検査の信頼性、特異性、感度については、実際には何も知られていなかったのだ。基本的に、これらのパラメーターによって、どれだけの偽陽性あるいは偽陰性の結果が出るのかがわかる。世界中で実施されているドロステン―実験室タイプのPCR検査については、現時点まで、そのようなデータは存在しない。したがってこのPCR検査の精度については何も言うことができない。しかしその結果は、政治的決定において鍵を握ることになった。この点についてドロステン氏自身はツイッター上でどう言っているだろうか(14)?

Chr.ドロステン

「PCR検査は、時には陽性になり、また時には陰性になる。偶然という要素がある。仮に、ある患者のPCR検査結果が2回

続けて陰性になり、回復したとして退院しても、自宅に戻ってからのPCR検査結果が再び陽性になることも十分にあり得る。だから、再感染というには程遠い」

何人かの同僚医師が、入院中に繰り返しPCR検査された患者でこのような不安定な結果が出たことを、私たちに知らせてきた。タンザニアでヤギとパパイヤがウイルス陽性であったのは特に驚くべきことだろうか？　もちろん、PCR検査キットの信頼性に関するタンザニア大統領の批判は、WHOによって直ちに却下された(15)。

しかし、PCR検査がエラーを起こしやすいことは、今や明らかである(16、17)。データ量が不足しているため、現在のPCR検査にどの程度の誤差があり、現在利用可能なPCR検査キット間にどの程度の違いがあるのかもわからない。ただ言えることは、実際には100％信頼できる実験室における検査と言うものは存在しないということである。

とはいうものの、仮にドロステン氏のPCR検査が非常に優秀で、99・5％の正確さを持つものだとしよう。いかにもこれは素晴らしいものだと思われるかもしれない。しかしそれでも未だに0・5％の不正確さが残っているのだ。例として、クルーズ船《マイン・シフ3（Mein Schiff 3）》の場合を考えてみよう。一人のクルーのコロナウイルス検査結果が陽性になった後、世界各地から乗船していた2、900人弱の乗客が、《船上隔離》を余儀なくされた。73もの国々からの乗客で、中には9カ月間乗船したままの乗客もいた。彼らは、《監獄に入れられたような状態》に耐えられないと訴え、心理的な問題が深刻になり、神経過敏状態になっていた(18)。

全員を検査した結果、九人が陽性だった。一人は咳が出ており、他は全員が無症状であった。彼らはもしかしたら0・5％の誤った陽性のケースだった、ということはあり得るだろうか？　もしそうであるなら、確かに存在するはずの真性の陽性の人はいったいどこにいるのか？　ひょっとして彼らは誤って陰性の結果が出たのだろうか？　それとも、すべてが、偽陽性だったのか？

結果が誤ったものであると考えられる場合、次のことを考慮する必要がある。すなわち、流行が収まったとき（ドイツでは、後に見るように4月中旬だった）ＰＣＲ検査は、新しいケースの数が偽陽性「バックグラウンドノイズ」から導き出されたものであるために、誤情報の危険な源となった。4月7日から4月21日まで、シャリテ・ベルリン（前出）の7、500人の従業員全員がＰＣＲ検査を受けたところ、0．33％が陽性であった[19]。正しいか間違っているか？

誤って検査結果が陽性と出た問題については、次のようなことを考えてみる価値がある。疫病が終息した時には、ＰＣＲ検査を実施する意味はなくなる。そうすると、ある時点からは《背景の雑音》だけが、つまり誤った陽性結果のみが存在することになる。だから、4月7日～21日にシャリテの全職員（7、500名）をＰＣＲ検査した時、陽性者が0・33％に過ぎなかったのも、不思議ではない[20]。陽性の検査率が特定の数値を下回った場合、症状のない人を対象としたウイルスのマススクリーニング（ＰＣＲの全員検査など）を継続することは無意味である。また、このような状況下で得られた陽性者数を根拠に、制限措置などの対策を実施することは許されることではない。

問題2　選択的検査か、それとも代表的検査か？　誰がＰＣＲ検査を受けたのか？

流行中に、自分では気づかない感染を引き起こす病原体に感染している人の数を概算する方法は、一つしかない。すなわち、できるだけ多くの住民のサンプリング検査を即時に（！）行うこと。それ以外は、エビデンス不足によって間違った決定につながる危険性がある。著名な科学者たちは当初から、この感染症への対処のために、このような調査を実施して信頼できるデータを確保するように要請していた（21、付録1参照）――しかしそれは無視された。

ドイツでは、ドイツ連邦政府機関であり疾病管理のための研究所であるロベルトコッホ研究所（ＲＫＩ）は当初、ＰＣＲ検査は広く行うのではなく、選択的に、すなわちターゲットを絞って——そして症状のある人々に限って——行われるべきだと主張していた。しかし、流行が進むにつれて、RKIはPCR検査戦略を段階的に変更した——常に正反対の間違った方向へ。

L.ヴィーラー

最初は、感染リスクのある場所にいたことがある、あるいは/かつ感染者と接触し、同時にインフルエンザのような症状のある者は、PCR検査を受けるべきだとされた。3月末にRKIは、推奨していたPCR検査基準を変更した。すなわち、インフルエンザに似た症状がある人と同時に、感染者と接触した人も対象にした。5月初頭、ロータ—・ヴィーラ—RKI所長(Lothar H. Wieler)は、《軽微な症状》の患者も検査する必要があると発表した(22)。

いずれにせよ、全ては地域ごとの責任ある保健所の決定次第だ、というのが実情であった。例えば、ある女子ハンドボールチームの監督は、コロナウイルスのPCR検査結果が陽性であった。様々な異なった地域から集まっている選手たちは、14日間隔離された。1人の選手に、咳と声のかすれなど、風邪の症状が現れ――ＰＣＲ検査を希望したが、発熱がないという理由で、ＰＣＲ検査を断られた。隣接する地域の別の選手は、無症状であったにもかかわらず、地域の保健所はＰＣＲ検査を行った。

我々の目の前で何が起こっていたのか？　それは、カオス、無計画、そして科学的無知・無能だ。

ウイルス感染の拡大と、それに実際的に結びついた危険性という問題を追求するためには、最初から科学的に基礎付けられた調査研究を行う必要があった。感染が発生した地域の、できるだけ多くの人たちに対してＰＣＲ検査をした上で、陽性者に対して抗体検査をするべきであった。

ドイツで唯一、このような正しい問題提起のもとに体系的に調査研究を行ったのが、ボン大学ウイルス研究所所長のヘンドリク・シュトレーク（Hendrik Streeck）教授である。調査結果の重要性に気づき、彼は研究全体の完了を待たずに、――メディアに登場し、そしてそのメディアによって切り捨てられた――彼の調査による死亡率が、別の機関（例えばＷＨＯ）が予測したものよりも数倍も少なかったのだ[23、24]。その後、彼は調査終了と同時に完全なデータを携えて、再びメディアに登場した。そしてまたもや切り捨てられた。そのやり方と内容がいろいろな意味で攻撃対象になり、メディアにとっては格好の餌食だった。ただ、得られたデータが語ることは明確だった――そして何よりもそれが、メディアによるパニック・プロパガンダに真っ向から反するものだったのだ。

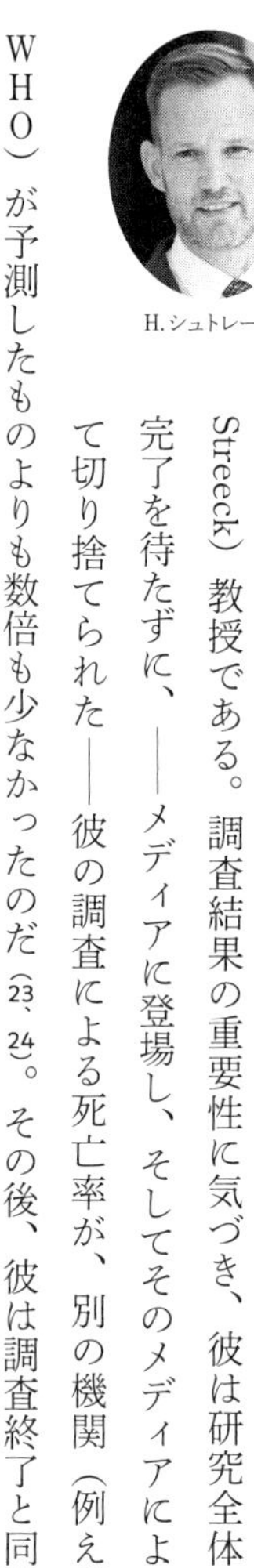
H. シュトレーク

問題3　過剰な暗数（統計に現れない実際の数）を伴うＰＣＲ検査数

実際、我々が絶えず報らされる新たな感染者数によって、ドイツ国内でどれだけの感染者が存在するのか、あるいは存在したかについて、何か確かなことがわかるというものではないことを、はっきりと知っておかなければならない。これは問題一と問題二で述べたことからも言えることだが、さらなる問題がある。例えばあなたが、メクレンブルク地方の湖の島にいる特定の渡り鳥の数を数えたいとしよう。鳥の数は何十万という単位のものだが、あなたが持っているカウンターでは1日に5千が限度だ。そこであなたは次の日に、同僚の1人に手伝ってもらうが、彼も1日に最大5千だから、合わせて1万ということになる――また翌日には2人の同僚に同じように数えてもらうと、それだけで合計して2万になる――要するに、PCR検査のキャパシティ／PCR検査数が多ければ多いほど、数値は高くなる――暗数が大きいものである限り。COVID-19の場合、暗数は巨大だ。無症状及び軽い症状の感染者数が巨大なのだから(25〜29)。

要するに、PCR検査数が多ければ多いほど、《コロナ感染者》は多くなる。これを《実験室パンデミック》という。

さて、検出された結果が100％特定的でもなく、100％の感度だというわけでもないことを、もう一度思い起こそう——つまり、渡り鳥が全てとっくにいなくなっていたとしても、十分な数の検査によって未だに相当数を《見つける》ことができるだろう——ちょうど同じことが《コロナ感染者》についても言えるのだ。

結論として、ドイツ国内の流行のどの段階でも、真の感染数についての信頼できるデータはなかった（ハインスベルクの調査研究（前出のヘンドリク・シュトレーク教授が実施したガンゲルト地区における調査研究）以外は）。流行がピークに達したとき、公式の数値は、10倍以上の大幅な過小評価であったに違いない。ドイツにおける4月末の減衰期に、その数も大幅な過大評価があったと考えられる。

このように不安定な公式の数値に基づいて政治的決定を行うことは、どの段階においても誤りであった。

第二点　SARS-CoV-2感染は何人の死者を出したのか？

ここでも、定義上のジレンマがある。すなわち、「コロナウイルスによる死」とは何を意味するのか？

仮に私が病院での検査の結果が陽性で、病院から帰宅する途中、自動車事故で死亡したとしたら――私はコロナ死亡者ということになる。陽性の診断を受けて、ショックのあまりバルコニーから飛び降りたとしたら――この場合も、私はコロナ死亡者だ。突然の心臓麻痺でも他の場合でも同じことになる。ＲＫＩの発表によれば、死亡時にコロナ検査結果陽性の場合、誰でもコロナ死亡者に数えられる。シュレスヴィヒ・ホルシュタイン州の最初の《コロナ死亡者》は、終末期の食道癌のため、パリアティヴ・ケア（緩和ケア）を受けながら平穏な最後の旅に向かおうとしていた。息を引き取る直前に検査が行われ、確かに陽性だったとわかった――彼はもう亡くなった後であった(30)。

ライノウイルス(普通感冒の代表的な原因ウイルスとして知られている)や、アデノウイルス(感染性胃腸炎、ライノウイルス等とともに「風邪症候群」を起こす主要病原ウイルスの一つ)、あるいはそれこそインフルエンザ・ウイルスについても、検査を受けていたなら、陽性結果が出ていたかもしれない。

さて、この場合、実際の死亡原因を確定するために、PCR検査の継続も解剖も必要とされなかった。しかし原則としては、新たな感染症、場合によっては、特に危険な感染症の場合、真の死因を同定するためには、できるだけ多くの解剖を行う必要がある。ドイツでは一人の病理学者が、コロナ危機の中でこの第一義的な義務を果たした。ハンブルクのピュッシェル教授(Klaus Püschel)である。彼は、RKIの否定的な助言を押し切って、ハンブルク市の全ての《コロナによる犠牲者》の解剖を行った。その結果、犠牲者の誰一人として、健康であった者はいなかったことがわかった(31)。全員がすでに少なくとも1つの病気に、そしてほとんどが複数の病気に罹っていて、2人に1人が環状動脈系の心臓疾患を抱えていたことが判明した。それ以外にも高血圧、動脈硬化、糖尿病、脂肪過多、癌、また肺、腎臓に問題を抱えていたり、肝硬変の者もいた(32)。

ドイツ以外でも事情は変わらない。スイスの病理学者ツァンコフ氏（Alexander Tzankov）は、解剖した死亡者の中には、高血圧症の人がおり、ほとんどが肥満で、3人に1人が心臓に問題を抱え、また3人に1人は糖尿病だったことを確認している(33)。

イタリア保健省の報告でも、死亡者の99％がCOVID-19以外に少なくとも1つの病気に罹っており、50％弱が三つあるいはそれ以上の病気にすでに罹っていたと発表された(34、35)。

K.ピュッシェル

A.ツァンコフ

興味深いことに、ピュッシェル氏も、患者の3人に1人が肺塞栓に罹っていたことを発見した[32]。肺塞栓は通常、下肢深部における血栓が剥離して肺に流れ込むことによって引き起こされる。血栓症は高齢で運動不足の人に典型的に現れる。寝たきりの患者は特に罹りやすい。肺塞栓については既に50年前に、ハーファーカンプフ氏(Haferkamp)とマティス氏(Matthys)がインフルエンザ患者のケースを、ドイツの医学誌に発表している。したがって、ここで我々が目にしているのは、SARS-CoV-2の特殊な側面ではないのである。我々が目にしているのは、高齢者が、恐怖心のあまり外出できないか、あるいは安全を期して、《できる限り自宅を出ないように!》というＲＫＩの指導に従って自宅に閉じこもった、という特殊な状況の結果なのだ。

運動不足が前もって組み込まれたのだ。ひょっとして血栓症も?

興味深いのは、スウェーデンの著名な感染症学者ヨハン・ギーゼケ氏(Johan Giesecke)(2020年9月からＷＨＯの要職に就いた)が、自国民に正反対のことを推奨したことである。すなわち、なるべくたくさん新鮮な空気を吸って、運動をすること！

この人物は、分かっているのだ。

ドイツでは、COVID-19が原因で亡くなった人の数について信頼に足るデータが存在しない（例外はピュッシェル教授のみ）。残念ながら、他のほとんどの国々でも事情は同じだ。イタリア保健省の参与であるワルテル・リッチアルディ（Walter Ricciardi）教授は、《ザ・テレグラフ》によるインタビューで、イタリアでの《コロナ死亡者》の88％がコロナウイルスが原因で死亡したのではない、と語っている(36)。

J.ギーゼケ

コロナウイルスの死亡者数の問題は、その数値が大まかな過大評価にすぎないと見なすことができることだ(37)。ベルギーでは、COVID-19検査で陽性死亡者だけでなく、陽性の疑いがあった死亡者も全て算入された(38)。

ドイツのＲＫＩの活動計画には、科学的倫理という拘束は存在しなかった。

我々がこれまで知り得たことから言えることは、大多数の国々で、そしてドイツでも、《本当に》コロナが原因で死んだ人の数は何倍も少ない、という前提に立たなければならないということである。では、実際の死亡者数はどれくらいだったのか？

残念なことに、ＲＫＩの発表には透明性がないように思われる。というのも、この機関は数字の裏にあるものを探ろうという気が全くなく、公の発表では、提示した数字こそが現実を反映するものだと主張するからだ。ＲＫＩには、その方針を規制するものとしての科学的能力が欠けているようだ。

しかし幸いなことに、この世には善き科学者というものがいるものだ。しかもとびきり優れた科学者だ。例えば、米国スタンフォード大学のジョン・P・A・イオアニディス（John P. A. Ioannidis）教授である。

彼は現代における世界屈指の疫学者である。イオアニディス氏はこれまでに、我々はおそらく本当の数値を知ることは決してないであろう、という誰にも明らかな結論に達した。この感染症がヨーロッパで終息したことが明らかになったときに、彼はこの否定しようのない事実を認めた上で、正統的な分析を行った。彼は、ウイルス《が原因》で亡くなった者と、ウイルス《に感染した状態》で亡くなった者との区別を全くせず、全ての《コロナ死亡者》の総数を対象に、単純に手元にある数値でCOVID-19で死亡するリスクを算出した(39)。

ドイツに関して、彼は5月初旬には、COVID-19による死亡リスク

J. イオアニディス

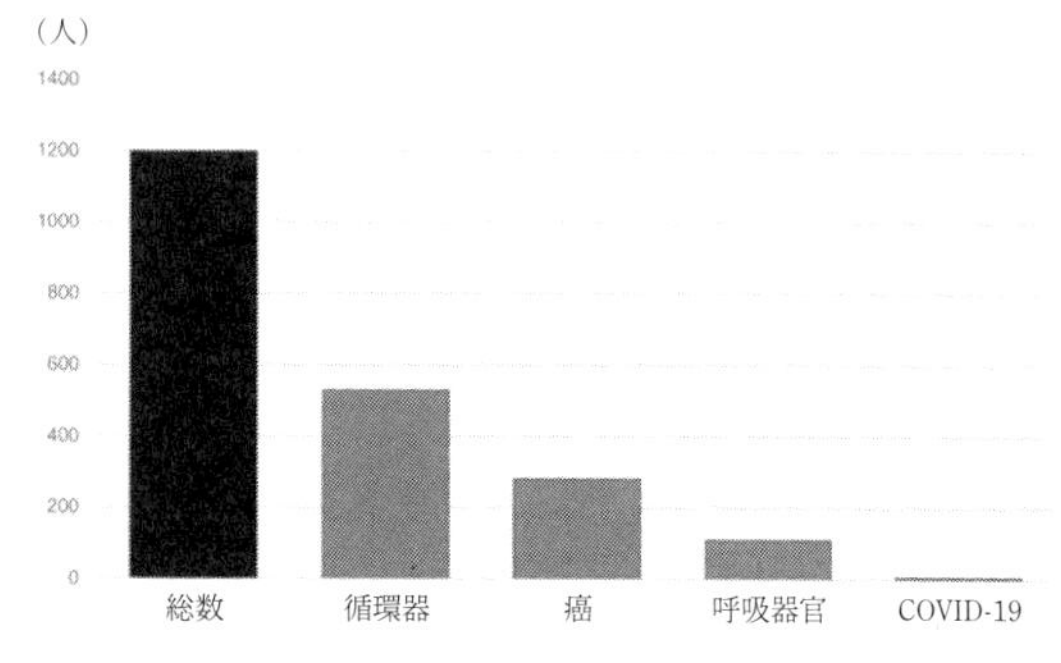

図1　80歳以上の死者数／10,000人

は65歳以下の場合、時速24㎞で自動車を運転する時と同じであるという結論に達した。80歳以上の場合でもリスクは比較的低く、ドイツでは一〇、〇〇〇人に10人という割合であった（図1、右端の棒グラフ）。

この数の計算は簡単だ。ドイツでは約８５０万人の市民が80歳以上だ。この年齢層では、約８、５００人の「コロナウイルスによる死亡」が記録されている。これにより、80歳以上の1万人人あたり10人のコロナウイルスによる死亡の絶対リスクがあるということになる。

ちなみに、80歳以上の高齢者1万人人のうち、およそ１、２００人が毎年亡くなるという事実を知っておく必要がある（左端の黒い棒グラフ）。死因としては、約半数が循環器系の病気、およそ3分の1が癌、そして約10％が呼吸器感染症である。呼吸器感染症は従来も現在も、様々なウイルスやバクテリアといった病原体によって引き起こされる。その中にはずっと以前から、無害なコロナウイルスも混じっていた。今回はそこに新たな代表的なウイルスが加わったのだ。もしかしたら、SARS-CoV-2が他のコロナウイルスに取って変わったのかもしれない？　いずれにせよ、SARS-CoV-2が極めて危険な《キラーウイルス》などと大袈裟に呼ばれる代物でないことは、今ではもはや完全に明らかなはずだ。

実際、RKIがサンプリングPCR検査を実施したのは、SARS-CoV-2の感染者のみでなく、インフルエンザの警戒観察の枠内で、呼吸器系感染者の総合データ（2020年2月24日、すなわち第9週目以降のコロナも含む。図2の縦線マーク）のサンプリングPCR検査も行っている。これらのデータは照合のための実験室に送られ、そこで代表的なサンプリング検査が行われる。ここでも興味深いことに、感染の異常な増加はおろか指数関数的な増加を

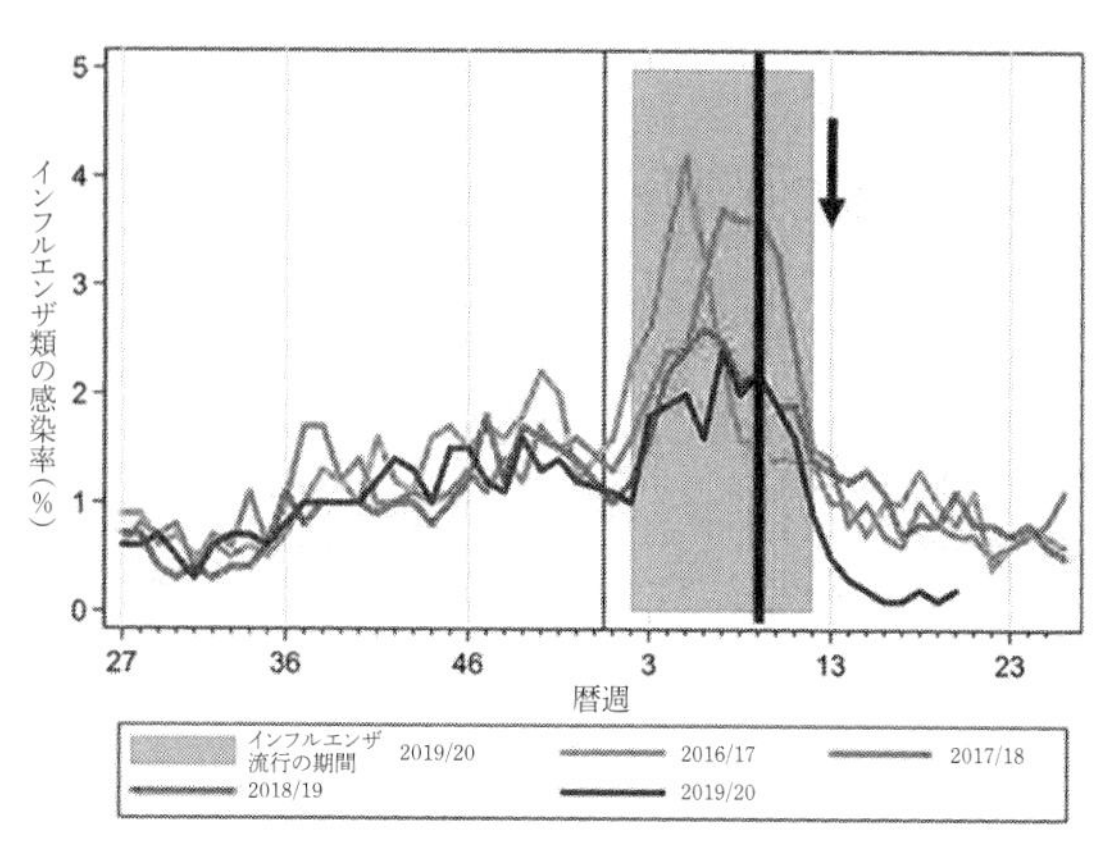

図2　インフルエンザ類の感染症（ILI）
（資料：RKIのホームページ：https://grippeweb.rki.de/）

示唆するものも何もなかった(40)。一方、2019年／2020年の数値（黒の曲線）を見れば、冬にピークが訪れ、その後は例年と同じように減少しているのが見て取れる。ついでに述べておくと、ロックダウンが行われたのは、第13週目（矢印）で、曲線はすでに底に達していた。つまり我々が見ているものは、ごく普通の冬季のインフルエンザ及び風邪の流行なのだ。

インフルエンザ-ウイルスと比べて見ると

COVID-19はよくインフルエンザと比較さ

れる。ＷＨＯはこれについてどう言っているだろうか？

ＷＨＯは、COVID-19-ウイルスの方が感染力が強く、罹患すると重篤化する、治療のための薬もなく、ワクチンも開発されていない、と世界に向けて警告した。

ＷＨＯは、ウイルス性疾患に対して真に効果的な薬はほとんど存在せず、季節性インフルエンザに対するワクチン接種は効果がないか、あるいは逆効果でさえあるということを説明するべきだったが、それをしなかった。さらに、ＷＨＯは、種々のウイルスの有効な比較を行う前に最初に対処するべき二つのポイントを無視した。

インフルエンザに比べてCOVID-19による死亡者数は高いのか低いのか？

ＷＨＯはCOVID-19による死者数を３―４％と想定した。これは例年のインフルエンザよりもはるかに高い割合だ(41)。

まず、これをより正確に見てみよう。インフルエンザ-ウイルスは毎年、波のように人々の中を通り過ぎてゆき、このような波は、ある年には非常に小さく目立たないこともあり、また時には劇的に大きなものでもあり得る。通常のインフルエンザシーズンの場合、ドイツでは、死亡率は０・１％〜０・２％、死者数は数百人である(42)。

そして毎年のように《強い》インフルエンザは襲ってくる。インフルエンザによる死亡者数は１９９５／１９９６年のシーズンでは3万人を上回ったが、これは特別多いシーズンであった(43)。２００２／２００３年と２００４／２００５年のシーズンに、インフルエンザが原因で死亡した人は、それぞれ約1万5千人だった。

最近でインフルエンザが最も流行ったのは２０１７／２０１８年であり、ＲＫＩの報告によればドイツでの死亡者数は2万5千人であった(44)。これらの数字が全て信頼できるものだとすれば、２０１７／２０１８年は——感染者数が33万人であるから(45)、——死亡率は約8%ということになる！　ドイツはこれまで通り、今回のような異例の措置をとることなく、感染症をうまく乗り切ってきたのだ。

ＷＨＯの推定によると、インフルエンザによる死亡者は毎年29万人〜65万人に上る(46)。

COVID-19に関してはどうか？　ＲＫＩは頑固に、科学的な見地からすればどうしても必要なはずの修正すべき要因を無視して、独自の数字に固執し続け、感染者数を17万人、コロナ陽性死亡者数を7千人という数字を弾き出した。つまり約四%の死者数であり、これはＷＨＯの予測結果と同じだ。これは確かに、COVID-19が《普通の》季節性インフルエンザよりも10倍も危険であるということを示している(47)。

しかしながら、すべての無症状者と軽症者が全体の数字には算入されていないわけだから、感染者数は実際には確実にこれをはるかに上回る数字であったことを、我々は知っている。

現時点で公表されているデータに従えば、感染者数は10倍にのぼるものと考えてよい(48〜52)。

そうであれば、死亡率は〇、四%であり、より現実的な数字になる。さらに我々は、《真性》のCOVID-19死亡者数がさらに少ないことも知っており、したがって死亡率はさらに低くなり、――およそ0・1%と0・4%の間であろう。すなわち、高く見積もっても中くらいの強さのインフルエンザの範囲である。これは、シュトレーク教授が行った「ハインスベルク-分析調査の」結果と一致する。それによれば、COVID-19に感染した患者の0・36%がこのウイルスを持って死亡した。教授の説明によれば、この数字は上限であり、死亡率は0・24%〜0・26%の範囲と推測している。検査結果が陽性だった死亡者の平均年齢はおよそ81歳であった(25)。

COVID-19が季節性インフルエンザと同じだという認識は、他の国の多くの研究者による結論だ。いくつかの調査を評価分析した最近の論文で、イオアニディス教授(前出)は、地域ごとの要因と統計的方法論による誤差を考慮した上で、感染症の死亡率の中央値が0・27%であることを明らかにした(53)。他の多くの研究者も同様の結論に達した。このように、これまでのすべての調査研究は、SARS-CoV-2が「キラーウイルス」などでは全くないことを明確に示している(54~64)。

ここで決定的に重要なことは、SARS-CoV-2が世界中どこを見渡しても、メディアが喧伝するような《キラーウイルス》となった国はどこにもない、という事実である。

インフルエンザとCOVID-19

さて次に、**インフルエンザとCOVID-19はそれぞれ誰にとって危険なのか?** という疑問について考えてみよう。

まず、インフルエンザウイルスは主に60歳以上の年齢の人たちにとって危険である。しかしごく稀にではあるが、若い人たちにとって命に関わるほど危険なことがある。

インフルエンザウイルスの顕著な特徴は、その増殖と放出の後、感染した宿主細胞に自殺を誘導することである。これが、細菌による大感染の素因となり、スペイン風邪の主な死因であった(65)。

COVID-19の場合、事情は違っている。コロナウイルスは基本的に《破壊的》というにははるかに弱いものであり、したがってSARS-CoV-2はまさに、例外的な《キラーウイルス》などではなく、普通のウイルスだ。感染患者の肺には特有の異変が見られるが、しかしこのウイルスが致命的であるかどうかは、ウイルス自体によるのではなく、むしろはるかに患者の総合的な健康状態によるのだ。メディアの報道は、《完全に健康な》若者たちが、それでもこのウイルスにやられた、と繰り返し喧伝している。我々の知る限り、これらの若者たちは例外なく、実際は《完全に健康》であったわけではなく、無自覚に長い間高血圧、糖尿病、あるいは他の病気に罹っていたことが、後に判明している。

4月9日に、あるセンセーショナルなニュースが流れた。103歳のイタリア女性がCOVID-19を克服した（！）というニュースである(66)。実は感染を苦もなく乗り越えた女性は彼女だけではなかった。それどころか、ほとんどの感染者がそうだったのだ。最高齢者は何と113歳になるスペインの女性であった(67)。

ドイツや他の国々の死亡者の平均年齢が80歳以上である(68~70)ということは確かだが、しかし年齢そのものが決定的な基準ではない。比較的健康で体調が良ければ、若い人たちと同様にウイルスを恐れることはない。ピュッシェル教授やその他の多くの研究によって明らかなように、SARS-CoV-2は、ほとんどの場合、溢れる寸前まで満たされた樽への最後の一滴にすぎないのだ。個々の当事者にとっては残念なことであり、また家族や愛する者たちにとっては悲劇である。とはいえ、このウイルスに過剰な責任を被せる理由はどこにもない。樽が溢れんばかりにいっぱいであれば、どんな種類の病原体であっても最後の一滴になり得る。毎年世界中で260万人が呼吸器官の感染で死亡する（肺結核を除いて）という事実を、我々は忘れがちである。私たちは、死の本当の原因が、致命的な一連の出来事を引き起こす病気や健康状態にあることを忘れてはならない。重度の肺気腫または末期癌に苦しんでいる患者が、致命的な肺炎になった場合、死因はあくまでも肺気腫または癌なのである（71、72）。

この基本的なルールが、コロナウイルスの場合にはすっかり無視されている。さらに悪いことに、SARS-CoV-2が陽性であるとPCR検査で判明すると（たとえそれが誤ったものであっても）、当局の判断により、その人は一生の間COVID-19犠牲者の烙印を押されたままになる可能性があるのだ（73、74）。そうなると、人の死が起これば、時と原因に関係なく、彼または彼女はCOVID-19による死亡者として登録される。

このようにして、コロナウイルスによる死者数は絶え間なく増加し続けるだろう。一般大衆の恐怖は、SARS-CoV-2がさまざまな臓器を攻撃し、長期的な影響をもたらす可能性が高く、インフルエンザよりもはるかに危険だという報道によって、さらに煽られている。ウイルスが心臓、肝臓、腎臓で見つかる可能性があるとの新聞報道や出版物が山ほどある(83)。もしかしたら、私たちの中枢神経系でも見つかることもあり得るのだろうか?

そのような見出しはいかにも恐ろしげに聞こえる。しかし、肺以外の臓器でSARS-CoV-2のRT-PCR結果が陽性になることはとくに驚くべきことではない。このウイルスは受容体を使って、肺細胞の表面だけでなく、細胞にも侵入する。しかし、2つの問題が決定的に重要である。実際のウイルス量の問題と、ウイルスが何らかの損傷を引き起こすかどうかの問題である。SARS-CoV-2の最も多く集中するのは、予想通り患者の肺である。ウイルスの痕跡は他の臓器でも検出されている(75)。しかしそれが大した重要性を持たないのは、ほぼ確実である。それに反する科学的証拠がない限り、このことは些細な観察結果として放置しておいてよいものだ。

では、インフルエンザとの違いはあるのか？　否。インフルエンザが心臓や他の臓器に影響を与える可能性があることは何年も前から知られている(76、77)。すべての呼吸器ウイルスは中枢神経系への影響もある(78)。SARS-CoV-2との基本的な違いはないのだ。時々、患者は長期的な疾患に苦しむことがある。これはすべてのウイルス性疾患に共通しており、それは例外的ケースでもある。例外のない規則はないことの証明だ。

これらすべてから何がわかるのか？　COVID-19は、一部の人を病気にさせ、一部の人には致命的であり、残りの人には何も起こらない。毎年のインフルエンザのように。

もちろん、特にすでに病気を抱えた高齢者は、老人ホームや特別養護施設に限らず、保護されるべきだということが従来から言われているのだ。風の症状がある人は誰でも、基本的に祖父母の訪問は控えるべきで、祖父母が心臓や肺に疾患を抱えている場合はなおさらである。インフルエンザに罹った者は、そもそも外出はしないものだ。

SARS-CoV-2が極めて危険なものではなく、感染したとしても多くは無症状であるということは、不利な点かもしれない。というのも、多くの人がそれとは知らずにウイルスを持ったまま、無自覚であるが故に高齢の親族に移してしまうかもしれないからだ。無症状者が他の人にウイルスを感染させるかどうか、もしそうであればどのような経緯で、ということについては、現時点では意見が分かれている。

ドロステン氏は早い時期から、無症状の感染者による感染力は非常に強い、という見解を広く語っていた。氏が引き合いに出した(氏も共著者として参加している)中心的な研究調査(79)の中に、バイエルン訪問中に自動車販売店の社員を感染させた中国のビジネスウーマンは、無症状者であったと書かれている。この論文は発表と同時に世界中でセンセーションを呼び、人々に大きな恐怖心を引き起こした。無症状の人が他の人に感染を広めるウイルスをコントロールするのは非常に難しい。この恐怖心が引き金となって、直後に様々な極端な措置――入院患者の訪問の禁止からマスク着用義務に至るまで――が取られることになった。

しかし、鍵を握るこの論文で発表された知見が、実際は極めて杜撰なものであったことが判明したという事実は、世間には知らされないままであった。後になって、この中国人女性がドイツ滞在中に、実は非常な体調不良に苦しんでいたにもかかわらず、痛み止めと解熱剤を服用していたためにそれが表に出なかったという事実(80)が調査の結果判明したのだが、氏の論文ではこのことには触れられていない。

さらに、同じドロステン氏の研究グループが4月に発表した論文も国際的な批判を浴びることになった。子供たちは感染源としてどのような役割を果たすのか、という問題に関して、ドロステン氏の研究調査は、無症状の子供たちも大人と同様に感染源になり得ると結論づけたのだ。この知らせは世間一般に対して大きな心配を引き起こすものであり、政府によるさらなる措置に影響を与えた。実際には、まったく逆、すなわち子供は普通、感染伝播にはあより関係ない、という研究は山ほどある。

何はともあれ、幼稚園や学校の閉鎖のようなまったく無意味な措置——周知の通り、それらは何の効果もなく、リスクグループの保護にもならなかった——をとるという愚行には、何の根拠もなかったのだ(81)。とりもなおさず、社会と経済をもろとも窮地に追いやる措置にも何の根拠もなかったということになる。

一体全体、世界は——そしてドイツは——どうしてしまったのか?!

やれやれ、メディアが流す映像が——イタリアから、スペインから、後に英国そしてニューヨークから——、数百万人とは言わないまでも、数十万人の死者という予測とともに、人々の頭の中に、あるイメージを刻印した。**きっと**キラーウイルスに**違いない**!?

イタリア、スペイン、英国、米合衆国の状況

３月末、あっという間にある見出しが広がった。イタリアの死者数は世界中で最も多く、致死率は極めて高い。続いて、スペインはイタリアを超えた（少なくとも感染者の数では）。そして次に、英国は欧州の悲劇の記録を更新した。世界中でそれを凌ぐのはアメリカ合衆国のみだ。新聞は、まるで戦争報道のように、日毎に騒ぎをより大きく報道した。

実際、流行病―パンデミックの規模が、病原菌だけでなく、土壌がいかに《肥沃》であるかにも左右される、ということはよく知られている。信頼できるあらゆる数字から得られる明確な答えは、これは、たくさんの人命を奪いかねない毒性の強い危険な病原体などではない、ということだ。

メディアが――メディア自身による批判的検証もなく――そのまま送ってくる恐ろしくドラマチックな映像に映された国々では、いったい何が起こっていたのか？

包括的な分析を行うために現地の科学者たちは、コロナ感染症について調査整理することを求められる。構成要因が多様だからだ。ここで、――多くの棺の映像が示唆するものとは違って――あまり、あるいはほとんどメディアでは取り上げられることのなかったいくつかの事実を指摘しておこう。

第一の事実は、全ての国で同じ間違いが起こり、すでに指摘したような同じ問題が発生したことだ。例えば、誰が検査を受けたのか？　ドイツではインフルエンザに似た症状を持ち、感染リスクのある人たちであった。彼らは生前に検査していれば陽性だったはずである。イタリアは違っていた。検査はここでも死後に行われた。しかしその代わりインフルエンザの症状を持った人はおらず、すでにはっきりとした病気で入院した人たちに限られた。というわけで、死亡者の多くが検査結果陽性で、感染者数は実際より大幅に少なく見積もられていた。したがって、結果として死亡率が他の国々よりもはるかに高く出たのは、驚くにあたらない(82)。

すでに3月中旬、イタリアのGIMBE財団は、「重篤者と死亡者の割合が過剰に算出されている一方で、ロンバルディアとエミリアロマーニャでの死亡率の高さは病院施設の過剰負担を示すものだ」と指摘した(83)。

加えて、――どの国にも言えることだが――ウイルスが原因で死亡したのか、それともウイルスを保有して死亡しただけなのかの区別をしなかった、ということがある。イタリアでの《COVID-死亡者》の99%はすでに病気に罹っており、そのほとんどは1つだけでなく、2つ以上の病気に罹っていたのだ。検死を受けた者のうちの4分の3には高血圧があり、3分の1以上には糖尿病があった。死亡者の3人に1人は心臓病と診断された。平均年齢は、どこも同じだが80歳以上であった。数少ない50歳以下の死亡者も、同様の重篤な病気——たとえば、心臓・循環器系の病気や腎臓病、あるいは糖尿病——に罹っていた。

すでに述べたように、イタリア保健省参与のワルテル・リッチアルディ教授は、イタリアの《コロナ死亡者》の八八%はコロナウイルスが原因で死亡したのではない、と述べた。全この国で、《本当の》コロナ死亡者の数は発表よりも少ないと見なす必要がある。それ以外にも、《検査結果偽陽性》の人々を差し引かねばならないのは言うまでもない。

ウイルスの危険性を誤って評価したこと、人々にパニックと恐怖を広めたこと、そして非合理的で限度を超えた措置は、人々の健康生活と医療システムに甚大な副次的被害をもたらしたのであり、これはウイルス自体よりもはるかに酷いものだ。ロックダウン（都市封鎖）という措置をとったドイツや他の多くの国々の惨状を我々は目の当たりにしている。

これはある興味深い現象を生む。コロナ以外の死亡者数が《いわゆる》コロナ死亡者の数より遥かに多くなるという現象だ。ニューヨークでそれが起こっており、そして英国も同様である。

4月15日の《タイムズ》紙が次のように書いている。イングランドとウェールズでは1週間の死亡者数が記録的に多く、平年よりも6、000人多い、と。このうちコロナウイルスに起因するものは最大でも半数と見做されている(84)。外出禁止によって人々の健康に意図せず悪影響を与えたのではないか、と心配されている(85)。

心筋梗塞を含む、生命に関わる病気を抱えた患者たちが、病院でコロナウイルスに罹ることを恐れて、病院に行かなかった、ということが徐々に明らかになった。糖尿病や高血圧の患者たちは、もはやまともに診療を受けられなくなっていたのだ。やがて、死亡者数の中で真の《コロナによる死亡者》に、《コロナ恐怖による死亡者》の数が多く加わるのではないかと懸念される事態だ。

さらに、英国は保健システム、医療のためのインフラ、そして医療に関わる人材不足といった多くの問題を抱えている(86、87)。ただでさえ、ブレグジット後、緊急に必要な外国からの専門職の人材が不足している(88)。

保健システムの問題は他の国でも深刻である。コロナ危機によって、このことが痛みを伴って露わになった。毎冬に訪れるインフルエンザの流行によってこれらの国々の多くの地域と都市の能力の限界が試されている。

2017/2018年の冬に本格的に強毒のインフルエンザの流行が世界を襲った時、米国でも病院の収容能力が逼迫し、トリアージ(識別救急)用のテントが設営されたり、必要な手術が行われなかったり、患者の来院も断られるなどした。アラバマ州では非常事態宣言が出された(89～91)。しかし、誰も関心を示さなかった。

スペインでも事情は同じである。2017/2018年のインフルエンザ大流行によって全スペインの病院が崩壊した(92、93)。

イタリアとて変わりはない。ミラノや他の都市ではICU(集中治療室)がパンク状態になった(94)。イタリアの保健システムは何年も前から予算が削減されており、ICUのベッド数は、ヨーロッパの他の国々に比べてかなり少なくなっている。

それだけでなく、イタリアでは病院に運ばれることが必ずしも有効ではない。院内感染と抗生物質に耐性を持った細菌による死亡例がヨーロッパ中で最も多いのが、イタリアなのだ(96)。

さらに、イタリアは相対的にお年寄りが多く、世界で最も高齢者が多い社会だ。イタリアで六五歳以上の老人が全人口に占める割合は、ヨーロッパで最多の22・８％である(97、98)。

加えて、慢性の肺疾患と心臓疾患の患者の割合が最も高いのだ。要するに、他の国々よりもはるかに大規模な《リスクグループ》を抱えているのだ。これらのすべての要因が重なるわけで、我々は将来のためにここから学ぶべきことが何なのかを考えなければならない(99)。

イタリアでは特に北部都市が大きな被害を被った。特定の環境上の条件が何らかの影響をもたらしたかどうかということも、興味深い問題である。細かな粉塵による空気汚染という点で、北イタリアはもう随分以前から、ヨーロッパの中国と言われて当然の状況だった(100)。ＷＨＯの試算によると、このような環境条件によって、２００６六年にはウイルス感染以外に、イタリアの13の大都市だけで８、０００人以上の死者が出たという(101)。大気汚染によって若年層と壮年層はウイルス性の肺疾患のリスクが高まる(102)。大気汚染というファクターが（イタリアに限らず）重要な役割を果たした可能性は一目瞭然であり、さらなる分析と検証がなされるべきである。

これら多くのファクターについて知ったとしても——、頭の中にいつまでも残っているのは——、軍用車の長い列がベルガモから棺桶を運び出す様子を映した、あの衝撃的な映像である。

ドイツ全国埋葬業組合副理事のラルフ・ミヒャル氏は、あるインタビュー(103)で次のようにコメントしている。イタリアでは火葬は稀だ。だから《コロナ・パンデミックで国が火葬を指導した時には、埋葬業者はもう手が足りなかった》とミヒャル氏は分析している。埋葬業者の準備が遅れたこともある。火葬場、そしてインフラ全体が不足していた。《だから軍隊が出動しなければならなかった。ベルガモからの搬出にはそういう事情があった》。

不足していたのはインフラだけではなかった。埋葬業者も不足していた。彼らの多くが隔離されていたのだ。したがって、このおぞましい映像自体――他の多くの映像も――《キラーウイルス》の直接の結果というよりは、むしろパニックに駆られた規制や措置の結果のように思える。

ところで、もう一度米国のことに戻ろう。米全土が大被害にあったのだろうか？　否である。ワイオミングやモンタナ、あるいはウェストヴァージニアなどの州では、《コロナによる死亡者》の数は2桁である（ワールドメーター、2020年5月中旬）。それに対してニューヨーク州は真逆であった。ここでは医師たちが、誰を最初に手当てすべきかわからないくらいに大わらわの状態だった。一方他の州では、あくびが出るほど暇な病院がたくさんあったのだ。ニューヨークこそは感染の中心地であり、全米のCOVID-19による死亡者の半数以上を記録した（2020年5月時点）――そしてそのほとんどがブロンクスの住人だった。ある救急医がインタビュー(104)で、次のように答えている。「色々な理由で、病院に来るのが遅かった人が多くいる。見つかるのが怖いからだ。大部分が滞在許可のない不法移民で、仕事もなく健康保険にも入っていない。この人たちが最も死亡率が高かった」。

ここで、彼らがどのような診療を受けたのかについて知っておこう。仮に、WHOが推奨するように、大量のクロロキンを処方されていたとすれば、死亡率はかなり高くなっていたかもしれない。というのも、ヒスパニック系の住民の3分の1が、クロロキンに不適合な遺伝子の欠陥（グルコース‐6‐ホスファチド・デヒドロゲナーゼ）を有しているからである（105、106）。副作用が重症化した場合には死亡に至ることがある。ブロンクスは住民の50%以上がヒスパニック系である。

国や地域によって、無数にある要因が大きく違ってくる可能性があるため、これらの決定要因を批判的に分析しない限り、流行の状況を正確に把握することはできない。

はっきり言えることは、もし政治や責任ある専門家が、《ドイツでは十分な対処がなされているのだから、北イタリアや世界の他の地域からの映像に見るようなことは起こらないし、心配することもない》、と繰り返し説明していたなら、ドイツ国民はこんなにひどく怯える必要はなかった、ということである。数字と事実がそれを物語っているのだ。実際は全く逆のことが起こった。ＲＫＩ（ロベルト・コッホ研究所）は繰り返し警告を発した――感染者が幾何級数的に増える、無数の死者が出るであろう、イタリアのような惨事になる、と。

世界が、これまで経験したことのない最大のパンデミックの脅威に直面しているという、

ＲＫＩによる警告に異論を唱えようとした者は、例外なく誹謗中傷に晒され、検閲された。

いつどのような措置が必要か、あるいは不要になったか、これについてはご都合主義的、恣意的に変更された。感染者数が倍増する期間は、最初の３月初旬には10日間であったが、その後14日間以上となった。次に出てきたのが実効再生産数ファクターＲというもので、１人の感染者が他人に感染させる数が１以下でなければならないとされた（実際は既に０・７であった時点で）。

これが達成されたとき――３月中旬――、彼らは困難に直面し、ＰＣＲ検査数を増やすことによって数を上方修正することに着手した。５月の終わりに、やや独創的な考えが出てきた。それは毎日の新規感染者数の許容数の上限を定義するという考えである。すなわち、町または地域の10万人あたり35人が上限とされた。

ここで、わずか７、０００のＰＣＲ検査を実行すると、ウイルスがまったく存在しない場合にも、少なくとも35の偽陽性検査結果が出ることが予想できるのだ明らかに、これらの計画や措置は、何ら科学的根拠に支えられたものではなかった。何よりも、感染者数は、①現実を反映するものではなく、②本当に危険な病原菌ではないものの場合、数字自体に意味はない、ということを我々は知っているのだから。

毎年の風邪の患者数を数えるのに、お金と労力を無駄にすべきではない。

人為性と無計画性は、無用な措置によってますます露わになった。当初、マスク着用は厳に禁じられた。例え満員バスの中でもマスクは不要であったのに、それがこの感染症が事実上終息した頃になって、マスクは義務化された。ホームセンターでの買い物は終日許される一方で、スマートフォン・ショップは禁止された。ジョギングはオーケーだが、テニスはダメ。各州には独自の指導要領と罰金の一覧表が用意された。ともかく罰則はいずれにしてもなければならなかった。何しろ我々は《全国的な感染の広がり》のただ中にあるのだから。どうしてこうなるのか？

何が起こったのか、もう一度よく見てみよう。

ドイツではこうして始まった

2020年1月27日深夜、バイエルン州保健省はドイツで最初のコロナウイルス感染のケースを伝えた。感染者は自動車ディーラーの従業員だった。ある中国人女性が前の週に、そのディーラーのもとで研修を受けていた。この会社から始まって、その後短期間で多くの感染者が出現したが、重篤者も死者も出なかった。感染した者は、感染者保護法のルーティン通りに、隔離・検疫された。

《リスク地域》――中国でもチロルでも――からの帰国者で風邪の症状がある者は検査を受け、隔離された。バーデンヴュルテンベルク州で複数の感染者が出て、さらにノルトラインウェストファーレン州でも1人の患者が出た。ドイツではカーニバルの季節であり、ノルトラインウェストファーレン州の最初の患者は、彼の妻と300人ほどの《頭のいかれた連中》とで、ガンゲルトやハインスベルクといった村や町で、2月中旬ごろまで騒ぎ回り、さらに他の地域にも移動していた、ということが判明した。さあ大変だ！　学校も幼稚園も閉鎖、彼らと接触した人間は隔離せよ！

3月初旬になってもシュパーン氏（連邦保健相）は、国民に対して落ち着きとほどほどの行動を呼びかけていた。徐々に大規模なイベントが取りやめになりはしたが、全体としては平静さが支配していた。

J.シュパーン

だが、コロナ死亡者第一号が出たのだ！　3月9日にニュースが流される。ハインスベルク郡の78歳の男性とエッセン市の八九歳の女性の死亡を伝えるニュースだ。男性は複数の病気、特に糖尿病と心臓疾患を抱えており、最終的にはそれらが死因であった。そして女性の方は肺炎で亡くなった。

これ以降、警告が発表されることになる！　ステージ１。

ドロステン氏は劇的なコロナの波の襲来を警告した(107)。「秋が危なくなる。それは明らかだ。そうなるとコロナで重篤になる者や死亡する者が突然増えるであろう……その時我々は誰を救うべきか？　重篤な80歳の老人か、あるいは、ひどいウイルス性肺炎に罹っていて数時間以内に死亡するかもしれないが、人工呼吸器によって四日後には回復するかもしれない三五歳の若者か？」

パンデミック（世界的流行）が宣言された

3月11日、WHOがパンデミックを宣言した。3月12日のドイツ連邦州首相会議で、大規模なイベントの全面的な中止が決定された。フランスからは同日、次のような報らせが入った。すべての幼稚園、学校、短期大学、総合大学が当分の間閉鎖される。ドイツもそれに倣った。すなわち、翌日にはすべての州政府が、3月16日からの学校及び幼稚園を閉鎖するよう指示した。まるで《ツナミ（津波）》が襲ってくるかのように、これから——もし感染者数のカーブがフラットにならなければ——どれだけの死者が出るのだろうかと懸念され始めた——《カーブをフラットにする》?! 誰もが意見を言い出した。宇宙物理学者もジャーナリストのボランティアも——たとえ感染症についての知識がなくても。毎日のように予測値が発表され、すべてのテレビ・チャンネルからは幾何級数的に感染者が増加すると言われ、確実な状況を掴むこと、そして増加を止めることさえ極めて難しい、というのも、感染者の数は週を追うごとに倍増するように見え——厳しい措置を取らなければ5月半ばには感染者数が100万人に達することも考えられる、と喧伝された。RKI所長のヴィーラー氏によれば、数週間あるいは数カ月以内にドイツの死亡者数はイタリアのそれに追いつくであろう（108）。

最初の声は大きくなるものだ——ロックダウンか？

3月13日、連邦保健相（シュパーン氏）がツイッターで次のように書いた(109)

！フェイク・ニュースに気をつけよ！

「連邦保健省ならびに連邦政府が、まもなく公共空間での生活の全面的な制限拡大を宣言するという噂が急速に広がっている。それは真実**ではない**！」

2日後の3月16日、その《公共空間での生活の全面的な制限拡大》が宣言された(110)。

これは、いつかみた風景だ……ああ、そうだ！

「壁を作るなど、誰も考えていない！」

この一言で、ヴァルター・ウルブリヒト、ドイツ民主共和国（DDR＝旧東ドイツ）国家元首・ドイツ社会主義統一党（SED）党首は、大嘘つきの一人として歴史にその名を残すことになったのだ。

これからコロナが襲来するたびに、人々は再びかつての東ドイツを思い出すことになるだろう。封鎖された国境や商店に並ぶ行列や空っぽのスーパーだけでなく。

公共生活は事実、さらに不活発になっていった。クラブ、博物館・美術館、メッセ会場、映画館、動物園など、すべてを閉鎖しなければならなくなった。教会のミサと礼拝は禁止され、遊園地とスポーツ施設も閉鎖された。最優先の目標は、《保健システムを限界に追い込むな。予定されていた手術を延期せよ》。

ドイツにおいて警戒の空気が広まる一方で、同じ時期に、ウイルス専門家が違った意見を述べていたのだ。他でもないイオアニディス教授であり、非常に優れた論文『大失敗が進行中？』において(111)、彼は次のように述べている（以下は要約）。

「現在のコロナウイルス疾患COVID-19は、百年に一度のパンデミックと言われた。しかし、それは百年に一度のエビデンス（客観的証拠）無しの大失敗と言えるかもしれない。どれだけの数の人々がこのSARS-CoV-2に感染しているかについて、信頼できる証拠を我々は持っていないのだ。多くの国々で過酷な対策が取られた。長期間に渡るロックダウンを決めた政策責任者たちは、それが事態を改善させるための政策であり、悪化させるものではないと、どうして決めつけることができるのであろうか？ 感染者数についても感染の今後についても、これまで集められたデータはおよそ信頼できるものではない。これまで制限的に実施された検査の結果を見ると、非常に多くの人がSARS-CoV-2に感染しているという事実は掴めていない。感染を把捉する際に、ファクター3であるか、あるいはファクター３００であるかについて我々が間違っていないかどうかはわからないのだ。どの国も、社会全体のサンプル調査によるこのウイルスの感染率に関する信頼できるデータを持っていない。ＷＨＯが発表した死亡率３・４％という公式の数字が人々の不安と恐怖心の原因となっているが、この数字はナンセンスである。SARS-CoV-2の検査を受けた人々のうちのほとんどは、重い症状があり病気と診断されていた人たちである。ある限られた空間で全員が検査を受けたという唯一の事例は、豪華客船ダイヤモンド・プリンセス号で隔離された乗客たちである。そこでの感染者死亡率は１％であったが、平均年齢が70歳以上であり、代表的なグループとは言えない――彼らはリスクグループであり、そこではCOVID-19による死亡率が高いのは当然である。不確実性のさらなる原因を勘案すれば、アメリカ人一般の死亡率は０・05％から１％の間と見るのが妥当なところであろう。仮に０・05％が真の死亡率であるとすると、潜在的に巨大な社会的経済的影響を伴う世界的なロックダウンは全く非合理的だということが言える。まるで象が家猫に攻撃されるようなものだ。驚いて猫を避けようとして、象はついうっかり崖から落ちて死んでしまう。ひょっとすると、COVID-19による死亡率は実はそんなに低いのだということが考えられるだろうか？《ノー》とある人たちは言い、高齢者の死亡率を引き合いに出す。しかし、風邪のような症状を引き起こし、数十年前から知られているいわゆる緩いコロナウイルスの感染者死亡率は、介護施設の高齢者の場合は8％にまで達した。実際、この緩いコロナウイルスには毎年数百万人が感染しており、全米での感染率は3〜11％にのぼり、呼吸器官の下部に感染した患者たちは毎年病院で手当てを受けなければならない。もし我々がこの新しいウイルスのことを知らず、またPCR検査も行われなかったなら、インフルエンザ感染による今年の総死亡者数は、異常なものではなかったであろう。せいぜい、今年のインフルエンザは例年よりやや厳しいようだ、と感じる程度であったはずだ。メディアの注目度も、三流チームどうしのNBAの試合よりもさらに低かっただろう。

我々には知り得ない一つの重大なことは、ソーシャル・ディスタンスとロックダウンという措置が、経済と社会、そして精神的健康に深刻な影響を及ぼすことなく、あとどれだけの期間続けられるのか、という問題である。」

残念なことだが、このような理性の言葉は、我々が選んだ政治家やそのアドバイザーたちの耳には届かないままだ。それに引き換え、インペリアル・カレッジ（ロンドン）のニール・ファーガソン（Neil Ferguson）教授の声明は、あらゆるメディアに取り上げられる――ターゲスシャウ（Tagesschau＝ＡＲＤ（ドイツ第一テレビ）のニュース番組）も含めて――当たり前だが、その方がよりセンセーショナルに受け止められるからだ。曰く、「もし我々がここで何もしなければ、このウイルスは野放しになって拡散するかもしれず、英国だけでも50万人の死者が出る恐れがあり、米国では２２０万人に及ぶだろう（112）」。

この声明の内容は人々の間に広まるだけでなく、人々に不安と恐怖を抱かせるのだ。

興味深いことに、このファーガソン教授は、狂牛病（ＢＳＥ）の時には１３６、０００人、鳥インフルエンザの時には200万人、そして豚インフルエンザの時には65、000人の死者を予測した人物であるが、終わってみれば、すべてのケースで数百人の死者が出ただけだった。別の言い方をすると、彼はいずれの場合にも間違っていたのだ。ジャーナリストに良心というものがあるかどうかわからないが、もしあるというのであれば、なぜ、自分たちが書いていることを検証しないのだろうか？　それが完全な計算違いだったということが白日のもとに晒されたのだから(113)。しかしもちろんのこと、この事実はターゲスシャウで取り上げられることはなかった。

それでも、RKIにとっては、センセーショナルな見出しがちょうど都合がいいようだ。感染者数が指数関数的に増加すると警告しているのだから(114)。「感染者が指数関数的に増加した場合、もし新たな感染者の増加を食い止めることに失敗したなら、今から100日後には感染者数は100万人に達するであろう。死者数を最低でも数十万人とする計算モデルがいくつか公表されている(115)」

政治家たちは早速人気取りに走る。一番得をするのは誰だ？　バイエルン州首相ズェーダーは《実行する政治家》を演じる。エネルギッシュな姿でカメラの前に登場した彼は、このウイルスとの戦いに決然として断固たる措置で勝ち抜くと宣言した。人々は、ロシアのプーチン大統領よろしく、彼が上半身裸の姿でバイエルンの森を馬上豊かに駆け巡るのではないかと危惧したが、ありがたいことに今のところ、それだけは避けることができたようだ。彼は勢い余って、3月21日以降のバイエルン全域での外出禁止の導入を布告した。入院中の最愛の人すら訪問することを禁じられ、レストランその他の施設は閉鎖されることになった。

M.ズェーダー

全国的なロックダウン

連邦制が揺れる――州ごとに独自の規制を決めてしまってもいいのだろうか？　急いで取りまとめる必要があるからといって。それにしても《外出禁止》とは聞こえが悪い。否定的な響きのする表現は避けよう。そこで、3月23日には《九カ条プラン》という形をとったロックダウンという表現に落ち着いた。これによってドイツ全土に外出制限が布告された。それ以降は、広範な接触の禁止、公共空間における2人以上の集会の禁止が決められた。レストラン、美・理容院、コスメティッククサロン、マッサージサロン、タトゥーサロンなどは閉鎖しなければならない。接触制限の違反は当局の監視の下におかれ、違反行為があった場合の罰則が定められた。罰金のカタログが大急ぎで作られた——イースターはもう間近だ。いくつかの州にとって、これでは十分ではなかった。バイエルン州、ベルリン市、ブランデンブルク州、ザールラント市、ザクセン州、そしてザクセン‐アンハルト州では、自宅から離れた公共の空間に立ち入ることは《それ相応の》理由がなければ、許可されなかった。

病院は空っぽで、イタリアとフランスからの感染者を問題なく受け入れることができるほどであった(116)。

3月25日には、連邦議会によって《感染が全国的に広がっていること》が確認され、それに伴って2日後、緊急の手続きを経て新たに作成された《全国的な感染の際の国民の保護に関する法律》が発効したが、それに気づいた国民はほとんどいなかった。この法律は、連邦議会が《全国的な感染》を確認する限り、連邦参議院（各州首相によって構成される）の同意がなくとも、連邦保健省に対して、全国的に（通常であれば連邦の）保健政策についての指令を出す権限を与えるものだ。

すべてが自己正当化される恐れがあった。というのも、あらゆる決定が――イオアニディス氏が言うように――エビデンスがないまま行われたのだから。これがきっかけとなり、我々はメルケル首相に対して公開の手紙を提出し、いくつかの重大な質問を投げかけた(28)。首相の個人的な返答を期待したのではない。我々全ての国民が一刻も早く必要な答えを得ることを希望したのだ。この手紙によって私たちは、我々の政府に、きちんと、早めに、間違った道から理性的でまともな道へ引き返す機会を与えようとした。しかし、政府の方針に合わない声は全て徹底的に無視され、著名な科学者たちは信用を傷つけられ、排除された。

政府はそれどころか、3月末には次のような布告を出した。すなわち、「ウイルスはさらに速度を早めて広がっている。目下のところ、感染者数は5日ごとに2倍に増えている。目標は、保健システムの過剰負担を避けるために、これを少なくとも10日ごとに2倍になるように圧さえることだ(117)。」

状況をより劇的なものに見せるために、RKIの手を借りて作られた内部情報の中身がばら撒かれた。死者115万人という数字が取り沙汰されている——これは、内務省の《専門家》が報告した、コロナウイルスの感染阻止に失敗した場合に考えられる3つのシナリオのうちで最悪のものだ(118、119)。

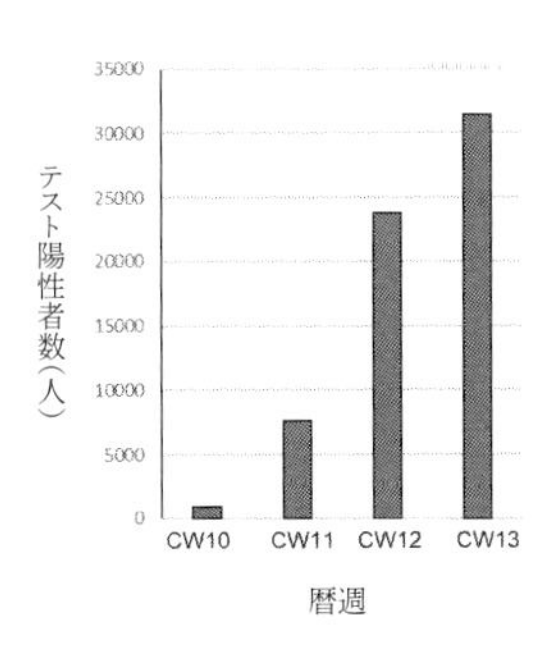

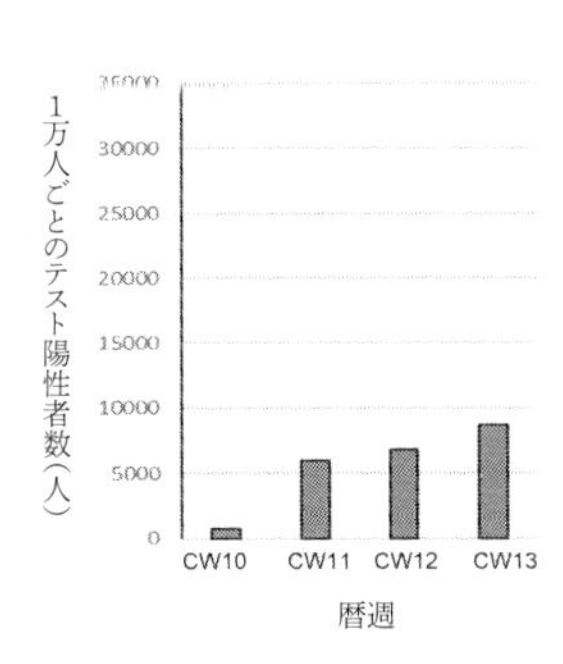

図3　テスト陽性者数と100,000人ごとのテスト陽性者数

さて、3月の四週間（カレンダー週＝CWで第10週～第13週）の統計数字を見てみよう。私たちは、PCR検査が紛らわしいことを知っているので、ここで言う数字が、感染者数ではなく、陽性結果が出た人々の数を指していることを明記したい。

これは確かに指数関数的な増加に見える。つまり、RKIが布告したことが起こっているということなのか？　と人々は思うかもしれない。何しろどこを見てもそのように言われているのだから。しかしRKIは、CW第12週目にPCR検査数が約3倍に増え、翌週はさらに増えたという事実を、なぜか指摘しなかった。だからRKIは、人々に向かって真実を伝え、説明する

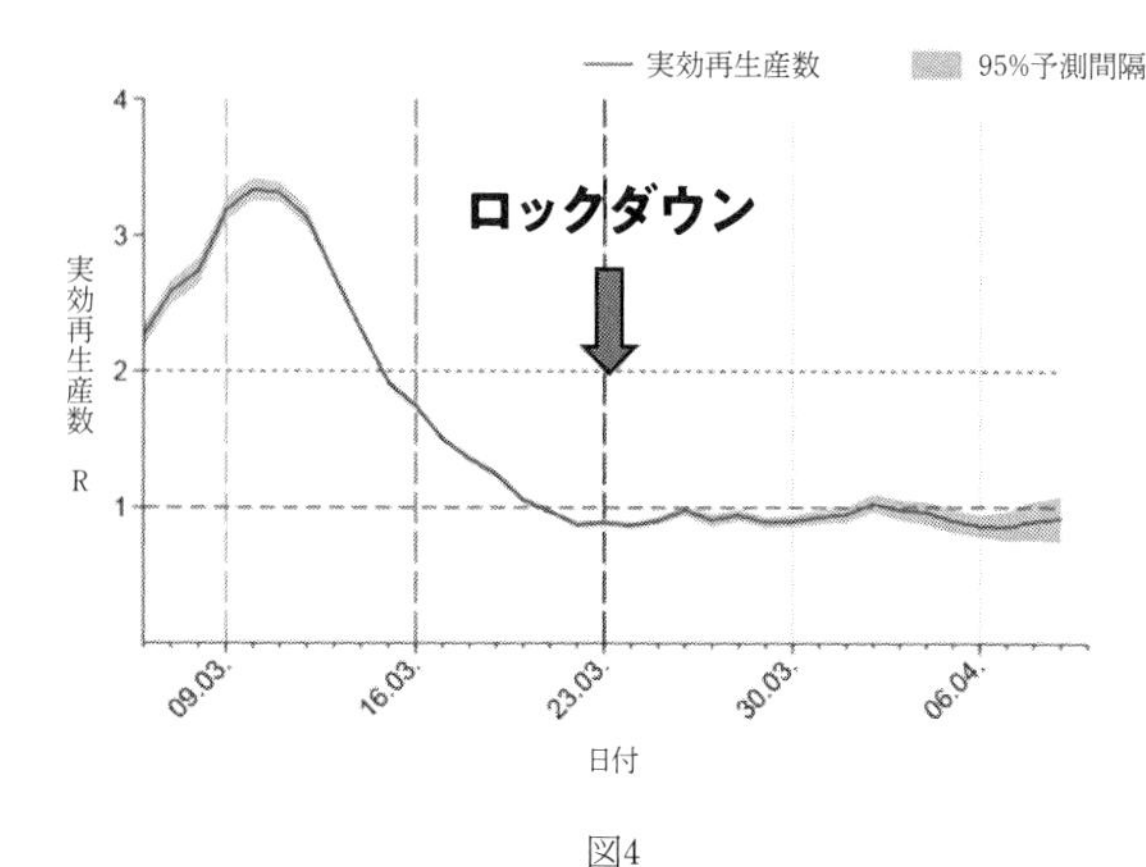

図4

義務を感じていないのだろうかと、誰もが思うはずだ。なぜ数字を訂正しなかったのだろうか？　図3のグラフのように10万人あたりの感染者数を発表すれば済んだはずなのに。

したがって、ＲＫＩとしては次のように発表すべきであった。「市民の皆さん、我々の数字は感染者数の幾何級数的増加を示すものではありません。心配はありません」と。

実際、疫病感染は3月末には言葉の真の意味で《峠を越えた》のである。このことは、4月15日に"Epidemiologische Bulletin（疫学会報）第17号に発表されたＲＫＩのＲ－曲線（実効再生産曲線）ではっきりと読み取れる（図４）（120）。

ここで何が見て取れるか。

①疫病感染が3月の初旬・中旬にピークを迎え、ロックダウンが行われた3月23日には、ピークはすでに終わっていた。Ｒ値はすでに3月21日には1以下になっていた。

②ロックダウンは意味がなかったことが見て取れる。なぜなら、3月23日には値は底を打ち、その後の期間では目立って下がっていないから。

③それ以前の措置（3月9日以降の大規模なイベントの中止、3月16日の連邦政府と各州との間の取り決め事項）も無駄だったことがわかる。というのも、ここでも5日から14日間の潜伏期間を考慮に入れなければならないからだ。仮にＲ曲線に影響したものがあるとすれば、2月末の措置が考えられる。その時何が行われたのか？以前の感染者保護の法律に従ったリスク地域の人々の隔離および外出禁止だ。なる

ほど、そういえば確かに。

この曲線の発表直後、メルケル首相は我々に向かって、R（再生産）というものがどういうものかについてたっぷりと説明してみせた後、このRが絶対に1以下にとどまっていなければならない（!）と、政府の目標を語った。すでに0・7になっているのに？　おそらく意思疎通の問題が存在したのだろう。RKIが早速すけだちに入り、感染は一つの数値のみで判断するのではなく、この場合、《R》の他に日々の感染者数の推移も勘案しなければならない、と説明した。そして、ちょうどそれはロックダウンが発布された時点ではまだ上昇中であったのだ。

いいだろう。再生産というファクターが突然使い物にならなくなれば、再びコロナ陽性のPCR検査結果の数に戻ればいいというわけだ。柔軟に行ったり来たりと……都合のいいように。しかし、このような状況を、真っ当なアドバイザーもなくいい加減に扱うと、いずれ失敗することになる。

ロックダウン延長に根拠なし

4月中旬、ロックダウンを再度延長すべきかどうかが議論されているときの状況はどうであったか？

今となっては全てが明白である。まさにR値や新規感染者数が明瞭に示すように、感染のピークはすでに峠を越していた（グラフ＝ドイツ中小企業――www.cidm.online）。図5の上の線は《新規感染者》の総数を表しており、飛躍的に増加しているように見える――報道では絶えずそのことが言われた。下の（正しい）線は実施されたPCR検査数に対応して修正された《新規感染者》の数（分母は10万PCR検査）を示すものだ。

事実は、我が国の病院施設の過剰負担の危険性は全然なかったということだ。なぜなら、

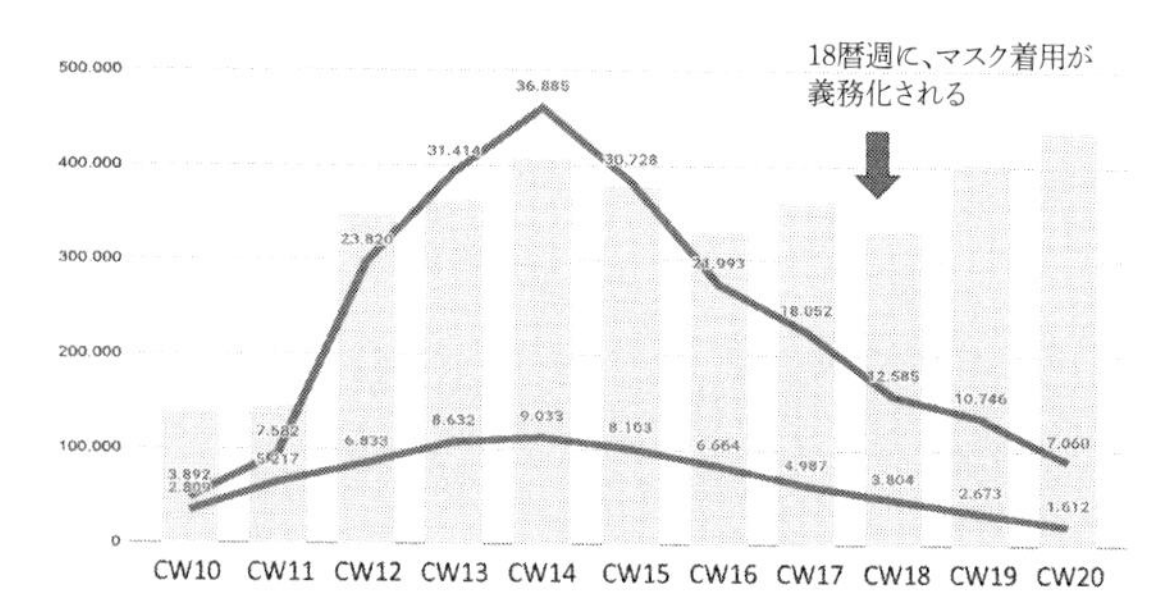

図5　テスト陽性者数

感染者数の指数関数的増加など起こらなかったのだから。病院には数千ものベッドが空いていたのだ！　COVID-19の患者の巨大な《波》など全くなかった。政府が取った対策が素晴らしい効果を発揮したからではなく、対策措置以前にすでに終息していたからだ。さて、多くの病院では、生死に関わる手術以外の予定されていたものは延期されるか中止された。腰や膝の手術、癌患者の検診等々。多くの病院の稼働率は大体30％強であった。医師たちは勤務時間を短縮した[121]。すべては終わったこと、劇的なことはなかったということ、そして**全ての**措置が即刻解除され**なければならない**ということは、今や目の見えない人でも見て取れるのだが――我が政府は何を行っているのか？

ロックダウン延長

4月15日、ドイツはロックダウンを延長した。人と人との距離の規定（ディスタンス）と接触の制限は、5月31日まで延長された。公共の空間での距離は1・5メートルと定められた。公共空間においては家族とのみ過ごすことが許され、家族以外の同伴者は一人に限られた。教会でのミサや礼拝の禁止はさらに当分の間続けられた。大きなイベントは8月31日までは原則禁止となった。

店舗などは開いてもよいが――、それも800㎡が上限である。これは興味深い数字だ。どうして700㎡や900㎡ではないのか？　この制限の例外は自動車・自転車販売業者、そして書店、――店舗の広さに関係なく開店することが許された。恣意的と言わざるを得ない。

もっと悪いことに、全てが終わっているのにもかかわらず、そしてマスクなど何の役にも立たないことを知っていながら、事もあろうに、最後にはマスク着用が義務化されたのだ！

マスク着用の義務

インフルエンザあるいはCOVID-19の感染を減らすために、健康な人も医療関係者でない人々も、マスクを着用すべきだ、などということに、何の科学的な根拠はない。(122)どうしたらこんなバカなことができるのだろうか——と誰もが問いたくなる。

第一に、無症状の人間が咳もせず熱もないのに病気を他人に移すという科学的な証拠は存在しない。

第二に、普通のマスクは、咳をした時に出るウイルスの侵入を止めることはできない。

第三に、マスクが感染防御に役立たないことは周知の通りだ。
第四に、医療用マスクのフィルター効果は極めて低い(123)。
第五に、手術用の綿製マスクには、微細な有機物が浸透する危険性が高い(浸透率97%)(124)。

コロナウイルスのサイズ160nm(ナノメートル)(=0・16μm(マイクロメートル))に対して、コットン製のマスクの《穴》のサイズは0・3μmだ。ウイルスは開いた窓のようにマスクを通り抜ける。

連邦政府によるマスク着用の推奨のおかげで、多くの高齢者は、マスクがウイルスを防いでくれて役立つものだと信じている。しかし事実は全く逆で、特に肺疾患患者、心臓の弱い人、さらに不安症やパニック障害に陥っている患者たちにとって、マスク着用は深刻な健康上のリスクを伴う。WHOでさえ、公共空間でのマスクの常用には意味がない、と説明している(125)。

　では、RKIはどのように言っているだろう？　ここでは政治的な見解の転換に合わせるように、元の方針を変えた。これらすべての推移を見る際に忘れてならないのは、RKI(ロベルト・コッホ研究所)が行政の一部であり、連邦保健省そして政府の下部機関だということである。

　これまで長い間、全面的なマスク着用の義務に反対であるという正しい見解を示してきたのに――突然、「無症状でも――用心のためにマスクを着用すれば、ウイルスを他人に移す危険性が少なくなるかもしれない。ただ、これには科学的な根拠はない。」という見解に転換したのだ(126、126)。少なくとも最後の文は正しい。公共の場でマスクを着用することに、何らかの意味があることを示す科学的研究結果は皆無である。あるのは正反対の証拠ばかりだ(128、129)。

普通の人は喜んでマスクを顔の前面に着けはしない。だが、メディアがドイツ国民に行った洗脳（Brainwashing）は驚くべきものだ。マスク着用義務について訊かれた市民たちはどう答えたか？「国から決められていて皆もやっているのなら、きっと意味のあることなのでしょう」

なるほど。そうすると、すべてのドイツ国民は、赤い紙製の鼻を着けるように決められたなら、そしてみんなもそうしているのなら――これも意味のあることになるのだろうか？そのように自問する人がいないということ自体、危険な兆候だ。

そしてドロステン氏とヴィーラー氏があいも変わらずパニックを吹聴していることも。

ドロステン氏は四月末に再び大きな感染の波が襲来する――今度はもちろん巨大な第2波だ――という空想を語った（130）。「R値が軽率な措置によって……再び1を上回り、ウイルスが再度、指数関数的に増加拡散するようなことがあれば、深刻な結果が予想される。そうすれば感染は至る所で同時に始まるので、これまでとは違った重大なことになる」

ドロステン氏は本当に、これまで感染者の幾何級数的増加などなかった、という事実を知らないのだろうか？

そして、第2波などどこからやってくるというのか？

ドロステン氏曰く、例えば、第一次世界大戦が終結する1918年に起こったスペイン風邪。5千万人の犠牲者の大半は第2波によるものだ。

いやはや、親愛なるドロステン氏よ、疫学の勉強をもう少し注意深くすべきではなかったか——そして多分歴史学の勉強も？　疫病というものは、同じ原因で発症する病気が、限られた時間と場所で、増幅する現象を言う。すべての疫病がそうであり、もちろんインフルエンザその他に関しても同じだ。

歴史上唯一の例外であるスペイン風邪をCOVID-19-感染症の比較のために持ち出して、《恐るべき第2波》を人々の頭に植え込むために使うなど、無責任極まりない。

政府は一体どのような基準で（ドロステン氏による）独占的情報をドイツ国民に流すように決めたのだろうか……。

ちなみに手短に述べておくと、スペイン風邪が流行した頃は、まだ抗生物質が《発明》されておらず、したがって人々はハエのように死んでいった——ウイルスにかかって死んだというよりも、むしろバクテリアによる副次的感染によって死んだのだ(131)。何よりも、亡くなったのは複数の病気を抱えた高齢者が主であったわけではなく、世代横断的であった

――特に若年層もたくさん死んだ。スペイン風邪の犠牲になったのは世界中で5千万人であった――どのような形であれ、COVID-19をスペイン風邪と比較する者は、無知ゆえにそうするのか、あるいは人々に恐怖心を与えるためか、どちらかである。

今や明らかなように、ウイルスは変化を繰り返し、突然変異するものであり、決して単純に消えてなくなりはしない。いつものインフルエンザのシーズンと同じように、これまで何度もコロナウイルスのシーズンとかXY-ウイルスのシーズンがあった(132)。次のグラフ図6は、よく知られているコロナウイルスの典型的な出現の月ごとの推移をフィンランドの調査データを例に追ったものだ。この調査では、ある調査対象グループにおいて、いろいろな風邪ウイルスの感染者の数について調査した(133)。

これはどこかで見たことのあるグラフではないか？　3月にピークを迎えた後に減少していった、例のRKIのデータに似ているようだ。

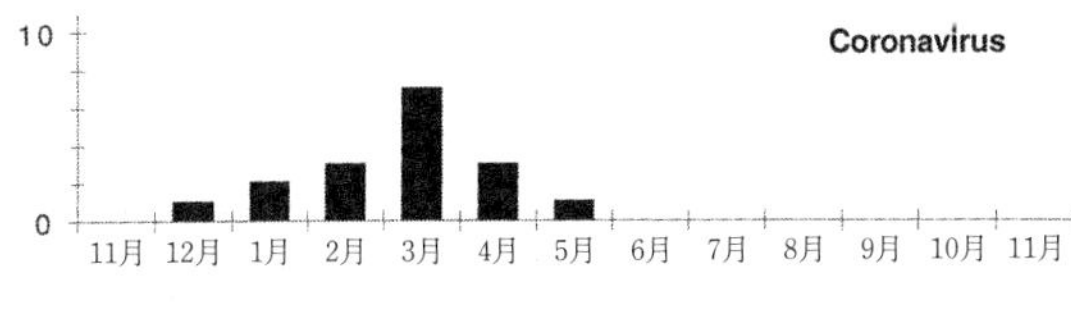

図6

いや待てよ。このフィンランドの調査は1998年のものだ！

どこかの政府が、次の《コロナ－シーズン（第2波）》でより多くのSARS-CoV-2の感染者を見つけたいと決めさえすれば、いくらでも増やすことができる。PCR検査数を増やせばいいだけだ。こんなに簡単な操作で、実験室で作られた次のパンデミックを引き起こすことができるのだ。

ワシントンタイムズ紙に、コロナ危機について非常に的を射た記事が載った。「事実はこう言うことだ。COVID-19はある人たちにとってはリアルな病気だ。他の人々には致命的なこともある。それはほとんどが高齢者だ――そして大多数の人々にとっては無害だ。これが真実である」

S.ホンブルク

幸いなことに、我が国でも、まともな知識人たちが声を上げてくれている。

ハノーヴァーのライプニッツ大学公共財政学研究所長のシュテファン・ホンブルク（Stefan Homburg）教授は、あるインタビューで、ロベルト・コッホ研究所（RKI）による数値が、ロックダウンが不必要であったことを示していることを明確にし、ロックダウンを即刻中止するように要請した(134)。

しかしこのようなロックダウンに批判的な声は頑固に無視された。そもそも連邦政府と各州政府はドロステン氏以外の専門家の意見に耳を傾ける意思がなかったのであろうか？　もしかして、ドロステン氏との間に独占契約のようなものが存在するのだろうか？

氏はどうも、警告することを楽しんでいるように見えるのだが？

というのも、彼はとにかく警告を止めないのだ。今度は、ドイツが種々の制限を大幅に緩和することによって、パンデミックとの戦いにおける優位性を失うかもしれない、と警告した（135）。

サイドブレーキを引いたままの緩和

やがてその時が来た。5月1日から、徐々に注意深く制限措置の解除が行われた。各州は競って緩和に向かった。バイエルン州とヘッセン州は、大急ぎで学校と幼稚園に再び子供たちが行けるようにした。人々の接触制限も《緩和》され、日常生活は徐々に元に戻っていった。しかし6月5日までは社会的距離はとりあえず守ることが決められた。

さあ、これで全てよし!?

だが、制限の緩和が問題になるたびに、パニックを煽るための装置が作動する。

RKIがまたもや、立て続けに警告を発したのだ(136)。「実効再生産数(R)の値は再び1を上回った。厳密には1、1だ……」

それは大変だ! ひょっとして緩和は早すぎた? そんな声が亡霊のようにメディアを駆け巡る。

しかし、値が今もって不安定なのは、PCR検査数によるのであって、その都度違ってくるし、感染者と死者の数を見れば一目瞭然、すべては終わっているのではないか?

彼らの言うことなどもう聞きたくない。誰がそれを信じるというのか？

そして追い討ちをかけるような驚愕の報告。ドイツの死者数は多すぎるのでないか（137）？

多すぎる？ 本当に？ もしそれが本当なら、制限措置（ロックダウン）による副次的な被害ではないのか？ ことの真相はいずれ数カ月、あるいは数年後には明らかになるであろう。しかし、内務省内でこれと同じ疑問を持った、あるリスク分析官がいた。彼は副次的被害のリスクを厳密に分析した驚くべき文書を作成した。その中で彼は、制限措置が行き過ぎであること、そしてそれが取り返しのつかない甚大な副次的被害を引き起こし、それによって得られる実質的な利益は何もない、と結論づけている。専門的な事実関係に間違いがないかを確認するために、この報告文書の概要は、我々を含む10名の外部専門家に配布された。事実関係がすべて正しいことを確認した上で、彼はこの文書を、政府のあらゆる関連部署宛に配布した――しかし正式には公表されず、放置されたままだ。我々は、この報告文書の結論が極めて重要だと考える、という声明を出した。しかし内務省はこの文書を一笑に付した。コロナ対策のマイナスの影響が驚くほど甚大であることが明らかであるにもかかわらず、この問題は無視されたのだ(138)。

再びロックダウン延長!

5月末、接触制限に関する連邦政府と各州の合意が期限を迎える直前に、制限をさらに6月29日まで延長することが合意された。

その根拠は?

科学的見地から言えば、その数週間も前からすでに、いかなる制限やその他の措置に対しても根拠は一つとして存在しない。ドイツに関して言えば、全国的な感染の広がりなど全くなかったということは明らかであった。

しかし、メルケル首相はなんと言ったか？　今後も用心するようにと、彼女は諭すのだ。5月末に彼女は、未だ「パンデミックは始まったばかりだ、コロナとの戦いにおいて、ディスタンスとマスク着用義務は不可欠だ」、と演説で述べた。

そしてシュパーン氏（連邦保健相）は5月25日、ドイツ最大の日刊紙ビルト（Bild）で、緊急措置の撤廃の如何について次のように答えた。「パンデミックがすでに終息したかのように思ってはいけない」

親愛なるメルケル女史よ、親愛なるシュパーン氏よ、**パンデミックは終わっていた**のです！

このことを認識するためには、医者である必要もなければ、感染症学者、あるいは疫病学者である必要もない。すべての国々の数値——たとえばジョンズ・ホプキンス大学のホームページで誰でもいつでも見ることができる——が、ヨーロッパ全域で《コロナ-パンデミック》が終息していたことを示しているのだ。

そして再度はっきりさせておこう。これはディスタンスや衛生上の措置の成果ではなく、コロナウイルスが——5月には毎年起こることだが——消えていったのだ。ロックダウンが意味のある措置であるかの如く説く論文が、高級科学雑誌である、かのネイチャー誌に掲載された。インペリアル・カレッジ・ロンドンのニール・ファーガソン氏(前出)を中心とする研究グループが警鐘を鳴らす。コンピュータシミュレーションによる結果は、世界的なロックダウンによって数百万人の命が救われたのだ、と(139)。これに対して世界の著名な科学者たちが一斉に反論を唱えた。この分析には根本的な問題がある、誤った結論を引き出すために操作されている可能性があるという反論である。データを正しく扱っていれば、結論は自ずと正反対のものになったであろう。ロックダウンはパンデミックにはなんら影響はなかったのだ（140）。

我が国でメルケル女史がますます緊急措置を守るように喧伝する一方で、他の国々、たとえばデンマークやラトヴィアでは人々はとっくの昔にマスクも着けずにスーパーで買い物をしていた——もちろん感染者数の新たな増加はなかった（141）。

第三章

トゥー・マッチ？　トゥー・リトル？　何が起きたのか？

病院の過剰負担の問題

イタリアとスペインからの映像によって不安と恐怖が広まった。重病を抱えた人たちに人工呼吸器は届かないのか？　なんという恐ろしいことだ。死は、ゆっくりと無慈悲に描かれる絵画のように映された。我々が見せられた映像は、一国の医療体制が限界を超えるとどのようなことになるかを示すものだった。ドイツでは何をすべきかを考えるにつけ、ＲＫＩ

が煽る不安の中では、あのような悲惨なことがこのドイツでも起こらないとは言えない。そう思うのは当然だ。すぐさま我々は人工呼吸器を発注し、病院のベッドを空けておくようにした。手術は延期するか取りやめることになった……ベルリンではそれに加えて、1、000人の患者を収容するために新しい病院を突貫工事で建てた——たった38日間で。そして完成してみれば病院には、どこを見渡しても患者はいなかった(142)。

詳細に見てみよう。3月初旬、言うまでもなくドイツ全土に感染が広がっていった。医療体制は万全であったか？ ドイツ集中・救急医療のための学際的連合会のウヴェ・ヤンセンス会長は、ドイツラジオで警報解除をアナウンスした(143)。「我々は集中治療のための十分なベッド数を確保している」。しかも、たとえイタリアのように過剰なコロナ感染が我々を襲うようなことがあっても十分対応可能なベッド数を。ドイツには約20、000の集中治療用ベッドがあり、そのうち25、000には人工呼吸器が装備されている。これは人口10万人に34のベッドが用意されていることになる。ヨーロッパの他の国では見られないことだ。

ベルリン工科大学（ＴＵ）保健・医療制度運営部門のラインハルト・ブッセ主任教授も、次のように述べている。「仮にイタリアのようなことが起こったとしても、ドイツの医療体制は大丈夫だ」(144)

それでも、ＲＫＩは不安を煽り続ける。「集中治療用ベッドは不足するだろう」、とヴィーラー氏は4月初頭にハンデルスブラット紙上で述べた(145)。なぜ？　ヴィーラー氏は言う。「疫病は続く。死者数もさらに増加するだろう」(氏は10月中旬時点でも同じことを述べている)

さて、そもそも何が問題なのか？　それは、最初から誤った数字を前提として予測数を非常に多く見積もったということだ。

しかし、真相はまるで違ったものだった。それは、5月にドイツ内務省のウエブサイトに以前は機密扱いされていた文書が公開されて、明らかになった(146)。その衝撃的な内容は、世間の噂話が真実であったことを証明するものだった。3月中旬に作成された記録文書には、コロナウイルス対策会議の一部が記されていた。驚くべきことに、恐怖で国民をコントロールすることが、流行を管理するための公式のアジェンダとされているのだ。ようやくこれでパズルのすべてのピースが埋まった。すべてが、計画されていたのだ。実際の死者数を発表したところで、「たいしたことがないという印象を与える」だけなので、数としては大きな感染者数を意図的にアナウンスした。最も重要な目的は、大衆に圧倒的なショック効果を与えることだったのだ。一般大衆に命に関わる根源的な恐怖を抱かせるための、3つの項目が挙げられている。

1　新型コロナで死ぬということを、《ゆっくりと溺れ死ぬ》イメージで、詳細に記述することで、人々を恐れさせる。死を、緩慢な窒息死によってイメージすることは、極端な恐怖心を喚起する。

2　子供たちが、死のウイルスを気づかずにまき散らし、親を殺す危険な感染源であると人々に告げる。

3　新型コロナ感染の後遺症に関する注意喚起を拡散する。それが正式に証明されていなくても、人々を怖がらせることになる。

これらの作戦を全て実行すれば、すべての意図した対策措置を、人々は容易に受け入れるだろう。

なんと恐ろしいことだ!!!!

このような狂気の計画が知れた以上、ヴィーラー氏の発言の趣旨はもしかしたら、病院をパンクさせかねないほどに感染者の数が増えるということだったのかもしれない。不安に怯える国民にとって不幸だったのは、彼が次のことを言い添えなかったことだ。すなわち感染症では、上で指摘した感染者と発症者との区別が必須であり、**さらに**、ほとんど大多数の患者たちが比較的早期に回復する、ということである。

この《回復者》は、ＰＣＲ検査結果陽性者の数（図７の左側グラフの総数を表わす実線）から差し引かれなければならないのはもちろんである。そうすることによって、医療体制への実際の負担がどれほどであるかについての現実的な示唆を得ることができるからだ。

厳密に言えば、死亡者数も差し引かなければならない。ただ、それは非常に少ない数であり――個々の死がいかに悲劇的で悲しいものであっても――全体像に大した違いはない（右側グラフの点線）。

病院が、待てども一向にやって来ないコロナ患者を待っている間、病気で苦しんでいる本当の患者たちは、病院を訪れることができなかった。ベッドは空っぽのままだった。我々が他国から患者を受け入れたのは、単に純粋な連帯感からだけではなかったのだ。

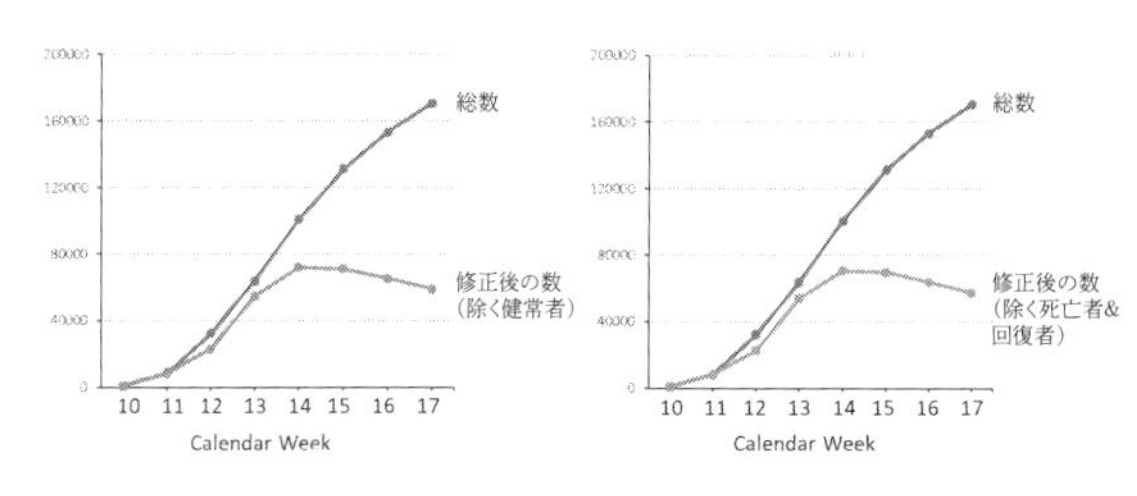

図7　テスト陽性者数(総数)

多くの病院やクリニックは財政的な困窮に陥った。コロナ危機の最中に、医師と看護師たちに勤務時間短縮を通告するところも少なからずあった(147)。これほど壊滅的な誤った計画による誤警報は、ドイツ史上いまだかつてなかったことだ。

もっとも、他の諸国でも事情は変わらなかった。米国では何千人もの医師たちが休職あるいは解職を言い渡された。コロナウイルス・パンデミック期間における、普段の患者の来診が地滑り的に激減したからだ(148)。

人工呼吸器が不足している?

パンデミックが始まったころ、専門家たちは、人工呼吸器が窒息による恐ろしい死からCOVID-19患者を救出するために必要な第一の要件であると主張した。同時に、この措置は医療従事者の感染リスクを最小限に抑えるだろうとも主張した。その結果、ドイツ政府は何千もの人工呼吸器を予備に購入して保管することに決めた。これは非常に悪い賭けであることが判明した（149〜153）。

人工呼吸器を使用した場合、患者の扱いは非常に注意を必要とする（154）。人工呼吸器によって、酸素が管を通して過剰な圧力を伴って肺に押し込まれる。その際に黴菌が入ることも稀ではない——それが遅かれ早かれ肺炎の原因となって死に至らしめるのだ。これを医師たちは院内感染と呼んでいる。このリスクは日ごとに増している。だから、医師たちは、呼吸器の使用は本当に必要な時にだけ、しかも短時間の使用に止める、ということを学んで知っている。

にもかかわらずCOVID-19の患者には、逆に非常に早い時期に、しかも長時間、呼吸器が使用されるのだ。なぜか？　それは公式に規定されているからだ。その理由は、人工呼吸器による侵襲性の呼吸でなければ、多量のエアロゾル（飛沫、最大で五㎛）が飛散する可能性があり、人工呼吸器が医療関係者に感染するリスクを減らすための最良の手段であるとされている。ただ、病原体がうつることとエアロゾルは全く関係ないという指摘も多くある(155)。SARS-CoV-2がエアロゾル飛沫の中に見出され得るという事実のみで(156)、それが病気を引き起こすのに十分な量が含まれる、ということを意味するわけではない(157)。

一体このアドバイスのせいで、何人の命が失われただろう？

従って——適切な保護措置を維持しつつ——患者により優しい対応を選択する方が、よほど意味のあることではないだろうか？

実際、多くの専門医が、COVID-19の患者たちがあまりにも頻繁に、そしてあまりにも長時間にわたって、侵襲的に吸入を受けた、という見解を示している(152、153)。この方法はリスクが高く、しかも成果には疑問がある。ノイシュタット・ハルツ(チューリンゲン州)にある呼吸器科クリニックのゲアハルト・ライアー・グレーネフェルト博士は、どのような場合でも気管挿管(intubation)は避けるべきだと考えている。氏のクリニックでは、COVID-19の患者たちには呼吸装置を意識がある状態で使っている。これまでに患者は1人も死亡していない(152)。

トーマス・フォスハール呼吸器内科クリニック協会会長も同様に、ドイツでは気管挿管が早すぎる場合が多いという意見だ(153)。他の国々での死亡率の高さだけでも、「この早期の気管挿管を疑ってみるには十分な根拠になるはずだ」と考えている。彼がこれまで呼吸器を使ったのは、患者40名のうち1人に対してのみである。この患者は結局死亡し、残り39人は回復したという。

緩和治療医師のマティアス・トェーン（Dr. Matthias Thön）氏はドイツラジオのインタビューで次のように述べている（158）。「政治は現在、集中治療、新たな呼吸器の調達、ＩＣＵベッドに一方的にこだわりすぎています。COVID-19の重症患者のほとんどが高齢者であり、複数の既往症を抱えていること、そのうちの40％が介護施設で重度の介護を必要としている患者たちだということを、我々は考慮に入れなければなりません。これらの患者は普通なら、そしてこれまでは、常に集中治療よりもむしろ緩和治療を受けていたグループです。それが、新たな病気にかかったと診断されるや、いきなり集中治療を受けることになってしまったのです」

トェーン氏は、ある中国の調査によれば最大限の治療（呼吸器による）にもかかわらず、97％の患者が死亡することを指摘している。助かった患者のうち、元の生活に戻れた人たちはほんのわずかで、残りのほとんどは重度の障害を持ったままだ。このようなことになるのを大半の高齢者は恐れているのだ。氏が推奨するのは、高齢者が人生の終わりに家族から隔離された状態でＩＣＵでの苦痛に満ちた治療に耐えることを選ぶのか、それとも――延命できないというリスクを引き受けて――自宅で最愛の家族に見守られながら苦痛を緩和してもらう方がよいのか、よく説明するという方法だ。人間の意思が最高の位置にあるべきである。トェーン氏は、ほとんどの人が第二の道を選ぶだろうと確信している。

対策は適切であったか？

比較的早い時期に、SARS-CoV-2はキラーウイルスではなく、中くらいのインフルエンザにランクされる程度のものだということは、明らかであった。新規感染者数の幾何級数的増加など決してなかったのだ。ＲＫＩはこのことを公表しなかったが。

我が国の保健システムに過剰な負担がかかる事態は決して起こらないことが、比較的早い時期に予見できたはずだ。感染力はやや強いものの、しかし同時に強毒性ではないウイルスを押さえ込むための対価は、単に高いというだけでは足りず、メリットとデメリットを考えた場合、あまりにも高すぎた。

我々の政府は何を正しく行ったか？

－？

著者たちは、答えを持ち合わせていない。読者の判断を乞う。

政府は何を間違ったか？

- 全国的疫病を宣言したが、それは存在しなかった。
- この国の市民から発言の自由を奪った。
- 客観的な根拠に基づかず、恣意的な決定をした。

・事実の解明と説明を行うのではなく、恐怖と不安を広めた。
・全てが終わった時に、全く無意味なロックダウンを行った。
・全てが終わった時に、無意味なマスクの着用を義務付けた。
・ロックダウンその他の措置が憲法に違反することが明確になった時に、これらを解除しなかった。
・経済的被害を引き起こし、生存のための条件が破壊された。
・無意味なワクチン開発に資金を無駄に投入した。
・市民に甚大は健康被害をもたらした。
・市民に甚大な苦痛をもたらした。

政府は何をすべきであったか？

首相及び全ての大臣は、就任時に次のように宣誓したはずである。

「私は、ドイツ国民の**幸福**のために全力を尽くし、国民の**便益**を増進させ、国民の**損害**を減じ、基本法（憲法）と連邦法を護り、自身の義務を良心に従って果たし、そして全ての人々に対して正義を行うことを誓う」

第四章

副次的被害

3月20日という比較的早い時期に、トゥルー・ヘルス・イニシアティブ（True Health Initiative）会長デイヴィッド・L・カッツ博士が次のような疑問を投げかけた(159)。すなわち、コロナウイルスとの戦いは、病気そのものよりも害が多いのではないか？　この病気と戦うには、より的を絞ったやり方があるのではないだろうか？　一体どれくらいの副次的な被害を我々は覚悟しなければならないのだろうか？

S.アトラス

スタンフォード大学教授のスコット・アトラス博士はCNNによる

インタビューで、COVID-19を封じ込めるという誤った考えにより、保健・衛生分野に壊滅的な状況を作り出してしまった、と述べた(160)。非合理的な恐怖心が作り出されてしまった。この病気自体が全体として弱いものであったのだから。それゆえに、一般市民に対する大規模な検査の必要性には全く根拠がなく、病院や介護施設において限定的に行われるべきものだった。アトラス教授は4月末に、《データは揃った——パニックと全面的隔離を止めよう》というタイトルの論文を発表し、センセーションを巻き起こした(161)。

W.ショイブレ

ドイツでも、非常に明確に発言した人が少なくとも1人は存在した。連邦議会議長ヴォルフガング・ショイブレ氏は、命の保護のために他の全てを犠牲にしてはならない、と述べた(172)。

「我々の基本法(憲法)に何か絶対的な価値があるとしたら、それは人間の尊厳である。これは侵すべからざるものである。しかしそれは、我々が必然的に死ぬものであることを排除するものではない」

これに飛びついたメディアは、すぐさま、正義派ぶった憤慨を表明した。《命か尊厳か——この二つを秤にかけてよいものなのか?》(163)。

多くの人々が未だにわかっていないこと、それは、我々が両方を犠牲にしてしまったということだ。

無意味な措置を擁護する人たちの言い分は次のようなものだ。全ての高齢者には、可能な限り長生きする権利があり、たとえウイルスがほんの一滴であろうと、それによって樽の中身が溢れ出てしまったら、そのウイルスが原因だったということになる。ウイルスに罹りさえしなければ、多分あと数カ月か数年は長生きできたかもしれないではないか。我々の社会では、高齢者たちがこの権利を拒むことは許されない。経済はいずれ回復するが、死者は戻らない。次のような呪文（メルケル首相の信条）を唱えない政治家は誰一人いない。どんな経済的犠牲を払おうと、我が市民の命と健康を守ることこそが我々の最優先の目標である、と。

これは、確かに崇高で正しいことのように聞こえるかもしれない。しかし、それにも関わらず同時に、公共の福祉という、より上位のものに対する理解がいかに欠けているかを露呈するものでもあるのだ。以下の数字は、既に述べたことだが重要なことなので、再度記すことにする。感染のこれまでの全期間において、ウイルスで死亡した80歳以上の高齢者の数は10万人を分母にすると、最多で10人である。これは、《真の》ＣＯＶＩＤ-死亡者、つまりこのウイルスが原因で死亡した人たちは、１万人につき、１１２人に過ぎない。様々な措置によってより長く生きた人たちの数はどれくらいだったろうか？　おそらく、１万人のち２～４人？　あるいは４～８人？　それ以上ではないのは確実だ。そしてその対価は？

ＢＭＩ（連邦内務省）の職員で、医療システムが機能不全になる副次的被害について分析をした者が１人だけいた。彼は即座に休職させせられた。我が政府はこの事実に関心を示していない。経済を人の命に優先させせてはならない？　しかし経済が破壊され、人々が生存を脅かされる状況に置かれたとしたら、国民の健康の保護にどのような影響を与えることになるだろうか？　これから見るように、それは甚大な被害を引き起こすことになるだろう。

経済的影響

それは全ての国々に影響を及ぼす。グローバルな経済危機は5億人の人々を貧困に陥れる。これは国連のポジションペーパー（公式見解）が述べていることである（164）。

ＦＲＢ（米連邦準備制度委員会）は、アメリカ経済が30％落ち込むであろうと予測している（165）。委員長のジェローム・パウエル（Jerome Powell）は、失業率が20～24％上昇すると見込んでいる。この間に米合衆国では、ウイルス危機で既に3、650万人が職を失った。《アメリカ経済史上最悪の失業者数だ》、とオックスフォード・エコノミクス研究所の米国チーフ・エコノミストのグレゴリー・ダコ（Gregory Daco）は言っている(166)。

EU欧州委員会はヨーロッパが歴史的規模の不況に見舞われることを予測している(167)。EUの年初の予測によれば、今年度の経済は優に7％縮小し来年も完全には回復しない。

ドイツも――予想に違わず――経済は落ち込む。3月後半になって、通常の80～85％であろう、と世界経済研究所所長は予測している(168)。時短給付金が約1千万人の就労者に給付される。時短がなければ失業率は、米国同様、もっと上昇しているであろう。4月の失業者数は《わずか》30万人増加しただけである(169)。しかし長期的に見れば、これで終わりではない。

政府はセーフティネットを充実させると言っており、《ドイツ史上最大の救済パッケージ》は副次的被害を食い止めるためだとしている(170)。しかしこんなものでは全く不十分である。無数の人々がこのネットからこぼれ落ちることになる。政府のとる措置によって、ドイツにおいても多くの人々の命が失われることが危惧されている。命を失った者はセーフティネットで生き返らせることはできない。

国民の命と健康への影響

影響としては以下のような現象がある。

・病気に罹った人の多くが、病院に行くことをためらっている。《キラーウイルス》に感染することを恐れているからだ。
・高齢者自身が医師に《負担をかけたくない》と思っている。医師らはCOVID-19の患者の治療に追われていると思うからだ。

・医療の必要な患者が、外野席に置かれている。コロナを口実に、《命に関わるものではない》という理由で断られるか延期されるからだ。

・健康診断が行われなくなっている。

・《コロナ患者》のためのキャパシティを確保するために、各種の手術が延期されている。これによって患者の健康状態が悪化し、いずれは命に関わる事態を招く。

・女性と子供に対する家庭内暴力が増加している。

・自殺者の数が増加することはほぼ確実である。

自殺と心の問題

２００８年に金融危機が起こった後、自殺者の数が世界の多くの国々で増加した。米財団ウェルビーイング・トラストの分析によれば、コロナウイルス・パンデミックの影響下で、失業率の増加、経済の縮小、そして孤立化によるストレスによって、《絶望に陥って》死亡する人の数が極度に増加すると考えられ、75、000人のアメリカ人がドラッグ中毒あるいはアルコール中毒そして自殺で死ぬ、と同財団は警鐘を鳴らしている(171)。これはアメリカだけのことではない。他の国々でも同様なことが考えられる。オーストリア政府は自殺者が50％増加すると見込んでいるが(172)、この数は《コロナによる死者》の数の実に10倍になる。

ドイツでは失業者が50万人増えると見込まれている。失業は自殺と直結するリスク要因だ。したがって専門家たちも、自殺者の数が相当に増えると予測している(173)。

心筋梗塞と脳卒中

コロナ危機による心理的ストレスの結果は自殺に限られているわけではない。それは心臓にとっても特別な負担になる。例えば失業は、今やCOVID-19の結果として増加しているが、50歳以上の人々の場合、喫煙や、糖尿病や、あるいは高血圧と同じ程度に心筋梗塞の危険性を高める[174]。しかし心筋梗塞の患者たちは一体どこへ行ってしまったのだろうか？　病院や個人クリニックへの緊急入院患者はこれまでに比べてはるかに少なく、前年度の約30％に過ぎない。患者数そのものが減ったわけでは決してなく、彼らが感染を恐れているからだ。患者たちは——仮に（心筋梗塞の）症状があっても——自宅に留まっているのだ。

「これは世界的な現象であり、非常に危険なことだ」と、ハーナウ病院脳神経内科主任のスヴェン・トーンケ博士は言う[173]。彼自身の脳卒中患者も、今年は去年より20％減ったという。脳卒中は、目眩や、言語および視力の障害、左右どちらかの手足の痺れといった比較的軽い症状を引き起こすだけだ。トーンケ博士は、「軽い症状で訪ねてきた患者の数は、去年より50％も少なかった」、と言う。これは極めて危険なことだ。なぜなら軽い症状の後には重い症状が現れ、死に至ることになるからだ。トーンケ博士は言う。卒中の原因としては例えば頸動脈の狭窄が考えられるが、これは即刻手術しなければならないものだ。あるいは不整脈も原因となり、これも薬による治療が必要なものだ。

これと同じことが、もちろん心筋梗塞患者にも当てはまる、とトーンケ博士は述べている。しかしここでも救急患者ははっきりと減っている。心筋梗塞も症状が軽いために、患者たちは病院に行かない。これもいずれ致命的な脳卒中につながるものだ。

その他の病気

AOK（ドイツ健康保険会社）の科学研究所によると、次のような疾患の診断数は4月に目立って減少した。すなわち呼吸器官の疾患の数が51％、消化管疾患が47％、そして怪我と中毒症が29％、とそれぞれ減少した(175)。これはどうしたことだろう？

腫瘍の患者の治療は、壊滅的であった。腫瘍の治療におけるモニタリングは、とても必要なレベルを用意できなかった。必要な検査は、先延ばしにされるか、キャンセルされた。癌患者の多くは、次回の検査が何カ月も先延ばしされることを知らされる。いつ検査が可能になるのか、心配しながら待たねばならない――検査数値がどう変わっているのか、腫瘍が大きくなっているのかどうか、後どれくらいの命なのか、何もかもが不明のままだ。

キャンセルされた手術

コロナの《ピーク》の期間にあたる12週間に、世界中でおよそ3千万の手術が先延ばしされたかキャンセルされた(176)。ドイツでは2018年、手術を伴う入院患者の総数はおよそ1,700万人であった。これを月平均にすると140万人になる。2020年の3月、5月、5月の期間、すべての必要な手術の50%から90%が、延期もしくはキャンセルされた。つまり、少なくとも200万人が、必要であったにもかかわらず、手術を受けられなかったということだ。これがどのような結果をもたらすかは言うまでもない。

高齢者への負担

ドイツでは毎日、1、000人を超える80歳以上の高齢者が死亡する(177)。まだ元気な人たちは、スポーツや運動、社交、ヴァカンス、イベント、さらにショッピング・ツアーその他いろいろなことを通じて、健康維持に心がけるのが普通である。この人たちがCOVID-19で死なないようにドラスティックな手段がとられたことで、彼らの寿命に直結する生活のクオリティが奪われたのだ。

クオリティ・オブ・ライフ

高齢者にとっては——すでに多くの友人たちが他界しており、身体的にも不自由な場合、生きる時間も大切だが——生きることの質も大切なのだ。

それは例えば、規則的にサウナに通ったり、フィットネス・スタジオで運動したりすることかもしれない。あるいは毎朝シルバーカーを押して角のカフェに行くことが1日のハイライトであり生きがいであるかもしれない。人々に交じって話をしたり、欲しいものを飲んだり、体を柔らかくするための運動を少しすることもそうだ。それが突然、カフェやその他すべてが閉鎖されてしまったらどうなるだろう？　もう、旧友にも会えなくなる。イベントもなくなる。そして訪問する人もいなくなったら、どうなるだろう？

寂しさと孤独

高齢の男女を孤独から守る唯一のものは、良質の社会的ネットワークだ。ドイツのシニア人口の5～24％が寂しさと孤独を感じている。ロックダウンの後、数か月にわたって、他人とのコンタクトがほとんど停止したことが、精神的に悪い影響を与えたに違いない。1人で外出できない人のために、介護サービスによって《シニアの会》が設けられ、高齢者は週に

1度送り迎えされて元気になって帰宅することができる。多くは必要ない。週に1度、人と交わることが、それほど大切なことなのだ。しかし、それが無くなってしまったとき、破滅が訪れる。

終末期医療

確かにすべての高齢者には、生きたいだけ長く生きる権利が絶対にあるし、我々はそのために全力を尽くすべきだ。しかしすべての高齢者には、死ぬ権利と、どのように死ぬかを自ら決定する権利も保障されるべきである。このような人々の大多数には生命の終わりに対する恐れはない。死を迎える時が来れば、人というものはいよいよ泰然としているものだ。

私たちが護らなければならない《お年寄り》というと、多くの人が思い浮かべるのは、自由な時間を豪華客船で楽しんでいる《健康な年金生活者》の姿だ。しかし現実には《お年寄り》の大多数は、いくつもの病気を抱えて人生の終わりを迎えつつある人たちなのだ。傷を負って、もう長い間ベッドから離れられない人たち、身体中に癌が転移している人たち、ペインセラピー（鎮痛医療）が効かなくなって苦しんでいる人たち、何もできなくなり、あるいはする意欲もなくしてしまった人たち、そして時に、運命が肉体の苦痛から解放してくれることを待つようになった人たちだ。

老人ホームや介護施設において、まさにリスクグループの人々に、必要なあらゆる保護措置が取られることは当然だとしても、しかし最終的には（もちろん他人を危険に晒すことなく）、個人としての決断によって意思決定行われなければならない。多くの人々にとっては、誰かがそばにいて、手を取ってくれて、最後の旅を前にお別れを言い、望み通りの臨終を迎えることさえできるなら、たとえその人がコロナウイルスを持ってきたとしても、それはどうでもよいことなのだ（178）。

その望みを、我々の政治家たちは、数え切れないほどの人々から奪ったのだ。しかも当人と家族・友人の両方から。長い期間、最愛の人や親友が、まだ生きているかどうかを確かめるために許されたのは、電話だけだった。そして、ある日、その人が亡くなったことを知らされるのだ。

無垢で弱い存在、私たちの子供たちへの影響

子供たちは――お年寄りと同様――社会の最弱者であり、我々には彼らを守る義務がある。彼らは私たちの未来だ。しかし世界の何百万という子供たちがロックダウンなどの措置によって高いリスクに晒された。「コロナウイルスは、直接感染した人間の数よりも多くの子供たちとその家族に害を与える」、とユニセフ児童保護部門の主任コルネリウス・ウィリアムス(Cornelius Williams)は言う(179)。

心の負担（メンタルストレス）

子供たちには社会的接触の権利がある。おばあちゃん、おじいちゃん、おばさん、おじさん、親友たちといった、最も大切な人たちと切り離されること、学校が閉鎖されること、遊び場や運動場が使えなくなること、これらによって普通の生活が中断されることになり、子供たちの精神的な負担が尾を引くことになる――もともとハンディを背負った子供たちにとってはなお酷いことになる。多くの社会倫理学者が指摘するように、同世代の仲間との接触が子供とその成長にとって、極めて重要である。子供はそれによって社会的な能力を習得していくからだ（180）。

教育の遅れ

子供には教育を受ける権利がある。ドイツ教員連盟の評価によると、学校閉鎖のために数百万人の学童に学力低下が見られる。連盟会長のハインツ・ペーター・マイディンガー（Heinz-Peter Meidinger）氏は、男女合わせて約3、000万人に学力低下が見られ、特に、社会的に困難な状況に置かれた子供たちや貧困家庭の子供たちに顕著だ、と述べている[181]。

身体的暴力

ドイツでは毎年10万人の子供たちが暴力と虐待の犠牲になっている[182]。2018年の犯罪統計によれば、

・週に3人の子供たちが暴力を受けた結果、死亡している。
・毎日10人〜12人の子供たちが虐待を受けている。
・毎日40人の子供たちが性的虐待を受けている。

もちろん、ここには現れない暗数がある。コロナ禍の時代にあって、何が起こるか想像できるだろうか？

・両親が精神的ストレスを抱え、失業間際に追い込まれ、あるいは破滅寸前の状態にあるときは？
・諍（いさか）いの絶えない毎日が続けば？
・アルコール消費が過剰になれば？
・子供たちが、幼稚園にも学校にも行けずに、終日自宅にいるだけで、逃れる場所がなくなれば？

いつもは危険にさらされた子供たちの安全を守る役割を担っている教師が、突然いなくなったら、児童福祉課にはいったい誰が情報を伝えるのか？

連邦政府の虐待に関する担当者であるヨハネス・ヴィルヘルム・レーリッヒ（Johannes-Wilhelm Rörig）氏は、ある書簡で次のような緊急の警告を発している。隔離都市である武漢からは、《閉鎖された状態が続いた》期間、家庭内暴力が普段の3倍に増加したという報告がある。イタリアやスペインからも《同様に驚愕すべき数字》が報告されている。

世界で最も貧しい人々への影響

少なくない人たちが、コロナ危機によるホームオフィス期間（器具・設備、専門知識、ネットの利用などが不十分なために、部分的に中途半端な効果しか得られなかったとはいえ）を利用して、――放置したままの自宅の修理や庭の手入れの仕事を片付けることができた。ドイツの中間層の大半と富裕層にとって大した痛手はない。ただし、ハルツ（Hartz）ＩＶ（失業保険）の申請が必要な人々にとっては、楽な期間ではない。多くの人々は自分のことで精一杯だ。しかし、経済的影響を最も受けるのが、貧困者の中でも最も貧困に喘いでいる人々だということに、あまり気づかない。無数の人々の生存と健康が圧倒的に危険に晒されていることに目をつぶるべきではない。

生存が脅かされる

インド全土には数億人の日雇い労働者がいる——その多くはアンチ・ウイルス措置の導入以前から、その日暮らしに喘いでいる。現在彼らには、生き延びるための手段が何も残っていない。彼らはコロナから《保護され》たまま、餓死するかもしれない。

アフリカの多くの国では警察と軍隊を使って、コロナ・ロックダウンが強行されている。

道を歩くものは即座に殴られる。普段なら1日に1回だけの食事を学校で与えられる子供たちは、もはや外出を許されない。この子たちも腹を空かし、餓死していく。

4月末、国連世界食糧計画のデイヴィッド・ビーズリー(David Beasley) 事務局長は、ニューヨークでの国連安保理で次のように述べた。世界はコロナのおかげで「大変な規模の飢餓パンデミックの脅威」に晒されている(183)。「ロックダウンと不景気によって貧困層が大幅な収入の減少に見舞われることになる。海外からの送金も急激に落ち込むだろう――これによって、ハイチ、ネパール、ソマリアなどに被害が及ぶだろう。ツーリズムによる収入の減少は、例えば総輸出額の47%をツーリズムに頼っているエチオピアなどのような国に被害を与えるだろう」

医療と健康のケアサービスが崩壊する

世界の最貧国では、良質の医療はわずかな人々だけが享受できる贅沢品である。状況の緩和と問題解決のために、多大な努力がなされてきた。しかし、過去数十年にわたって築きあげられてきた多くのものが、壊されようとしている。

世界20カ国以上でこれまで、麻疹(はしか)に対するワクチン・キャンペーンが行われてきた。しかし現在、患者の数は増えている。コンゴ民主共和国では6、500人の子供たちがこのウイルスで死亡したと、ネイチャー誌で報告されている(184)。麻疹によって死亡するケースはヨーロッパでは稀だが、貧しい国々では感染者の3〜6%が死亡し、生涯にわたって後遺症に苦しむ人が少なくない。

ジンバブエでは２００３年から２０１３年にかけて、１年間に感染症に罹る国民の数を、人口１，０００人あたり１５５人から22人に減らすことに成功した。しかし現在、短期間の間に１３０人以上の死者と１３５，０００人の感染者が出ている。犠牲者の３分の２は５歳以下の子供たちである。

ＷＨＯの統計によると、サブサハラ（サハラ砂漠より南の）アフリカでのマラリアによる死亡者の推計値は、２０２０年には７６９，０００人を数え、２０１８年に対して倍増している。つまり、《20年前の死亡率の水準》に逆戻りしてしまったことになる。増加の理由としてＷＨＯは、この時期に配られた駆虫剤処理済みの蚊帳の数が例年に比べて非常に少なかった可能性を挙げている。

ジンバブエのマラリアによる死亡とコンゴで起こった麻疹による死亡は、ヨーロッパ大陸でこれから起こることの前触れに過ぎないのだろうか？

要約すれば

我々の政府は様々な制限措置によって、数日後、数週間後、数カ月後、あるいはもしかしたら数年後に亡くなっていく人たちの命を、長引かせることができたのだろうか？　もしかしたらそうかもしれないし、そうでないかもしれない。制限措置によって死亡者を少なくすることができたのだろうか？　できなかったのは明白だ。なぜなら措置が取られたのは、この疫病がすでにピークを過ぎた後だったのだから。

ひとつはっきりしているのは、数えきれない無数の悲しみは、言葉や数値に表せない、ということだ。

死亡者の数を数えることはできる。しかし、我が国そして他の国々の政治家が決めた制限措置がもたらした言い知れない苦しみの量を測ることはできない。副次的被害による死亡者がいったいどれくらいの数になるのか、我々はいずれ知ることになるかも知れないが、もしかしたら永久に知らされることはないかもしれない。ちょうど、COVID-19が原因で死亡した人の実際の数を知ることがないのと同様に。

その数は、この疫病の終息期には、公式の数字——それは予測されたものよりも少ない者だろうが——よりも、さらにはっきりと少ない数であることは確実だ。今からでも遅くはない。振り返ってみれば、自分の頭で考えることのできる人間なら誰でも分かるはずだ。制限措置による効果・利益よりも、被害の方がはるかに大きいということを。

第五章

他国はどうしたか——模範としてのスウェーデン？

我々が来る日も来る日も、マスメディアを通じて、感染者数の《擬似的》な指数関数的増加を報らされる。ドラスティックな措置（市民の自由な行動の制限）を厳しく行わなければ、我が国の医療システムは崩壊する、と耳がタコになるくらいに聞かされる。そんな時、いくつかの国では別の方途が取られた。外出制限もなく、レストランや、フィットネス・スタジオや、書店や、学校も開かれたままだった。例えばスウェーデンがそうだ（185）。

ドイツになくて、スウェーデンにあるものは、

A.テグネル

・良い政治。すなわち、単純に《右に倣え》をせず、事実をベースにした独自の判断で決断する勇気のある政治。
・良きアドバイザー。

スウェーデン政府の感染症に関する責任者である疫学者アンダース・テグネル氏は、良いアドバイザーの1人である。彼は明らかに、かつての《豚インフルエンザ・パンデミック》の時の失敗から学んだ。そしてあと1人は、テグネル氏の前任者である、著名な疫学者ヨハン・ギーゼケ氏（前出）だ。彼は早い時期から、意味があるのは、客観的根拠のある措置を適用することだ、と主張していた。ロックダウンは、無意味であるばかりか、有害でさえある。オーストリアの雑誌アッデンドゥム（Addendum）のインタビューで次のように話している（186）。

「真に科学的な根拠のある措置は2つしかない。1つは、手洗いをすること。それが役に立つことを、150年前のイグナツ・ゼンメルヴァイスの業績（ウィーン総合病院の産科医。産褥熱の原因が医師の手洗い不履行にあることを発見）以来、我々は知っている。もう1つは、ソーシャル・ディスタンシング（社会的距離）だ。これが有効であることも証明されている。だから、ヨーロッパの多くの政府が適用している他の措置には、何ら科学的な根拠がない。例えば、国境を閉鎖することはナンセンスだし、何の役にも立たない。また学校の閉鎖も、有効だと言う証拠はどこにもない。」

事実、科学的見地からは、学校の閉鎖は全くのナンセンスだ(89)。

逆に意味のあることとは、市民の自己責任意識と理性的判断に委ねること、そして正しい情報の提供と啓発の努力を行うことである。（スウェーデンの）市民には、自分を守る方法について十分に説明され、彼らはその通り実行した。そこには、パニックを煽ることも、恐怖のシナリオを喧伝することも、ロックダウンも、罰金もなく、自由な行動の権利の大規模な制限もなかったのだ。

M.ライヤン

ＷＨＯの緊急事態対応統括者であるマイケル・ライヤン（Mchael J. Ryan）常務理事は、スウェーデンのやり方を評価し、コロナウイルスとの戦いの《模範》と呼んだ（187）。

事実、スウェーデンは多くの点で正しい政策をとった。深刻な副次的被害を避けることができたが、そのために多くの批判を浴びることになった。中でもドイツのメディアは、あらゆる手段を尽くしてスウェーデンの政策を酷評した。

・スウェーデン方式は明らかに失敗した（ドイツラジオ、２０２０年４月４日）
・先が見えない――死亡率10％。スウェーデンの甘い独自路線は失敗する見込み（フォー

カス、2020年4月17日）

・スウェーデンのコロナウイルスは、壊滅的結果に？（RND＝ドイツ編集ネットワーク、2020年4月21日）

政治家たちも歩調を合わせて非難に躍起だ。

カール・ラウターバッハ（Karl Lauterbach）（SPD社会民主党国会議員）は5月初め、《マイシュベルガー（Maischberger）》（ZDFドイツ第二テレビの報道討論番組）で、スウェーデン政府の措置を《無責任》だと非難し、《無惨な結果》になると決めつけ、次のように述べた。「大まかに言えば、あの国ではカフェを閉鎖したくないために、非常に多くの老人たちを犠牲にしている」

K.ラウターバッハ

ズェーダー（前出のバイエルン州知事）は記者会見で、「あまりにも自由な路線は、**非常に、非常に多くの**犠牲者を出すことになる……」と述べた。

実際には、スウェーデンでの感染は他のすべての国々と同様の経過を辿った。前出のホンブルク教授はあるインタビュー(188)で、「どうやら、自らの失策に対する反例をどうしても認めたくない人たちがいるようだ。彼らは、あらゆる手段を尽くして——フェイクニュースを上塗りして——スウェーデンに現在の自由路線をやめさせようと試みてきた。しかしスウェーデンは独自路線を頑として貫いた」、と語った。

我がドイツも、スウェーデン方式を取っていたとしたら？　市民の声に、市民を啓発することに賭けていたなら、どうなっていただろうか？

即座に反対意見が返ってきそうだ。スウェーデンの人口密度はドイツの比ではない（1キロ平方メートル当たり23人、つまりドイツの10分の1だ）のだから、何とかうまくいったのであって、ドイツのように人口密度が高い国では無理だ、と。

同様のことがアイスランドにも当てはまるだろう。この国も、コロナ危機を、ロックダウンすることなく乗り切った例である。1、800人の罹患者のほぼ全員が回復した。COVID-19が原因で死亡したのは10人に過ぎない。酷(むご)いロックダウン無しにこの結果だ。多くのレストランや商店、幼稚園や学校は閉鎖されなかった。集会やイベントも20名までのものは許可された。

それでも足りない? いいだろう、確かにアイスランドも人口密度は低い。それでは人口750万人の香港を見てみよう。人口密度は1キロ㎡当たり6、890人だ。そして驚くなかれ、ここでもうまく機能したのだ! スウェーデンやアイスランドほど緩やかではないものの、ともかく完全なロックダウンはなされなかった(189)。

あるいは日本はどうか（人口1億2、600万人、1キロ㎡当たり36人）？　そして韓国は？

日本と韓国は、中国以外で最初にコロナウイルスに見舞われた国だ。中国での厳しい隔離措置や、ヨーロッパのほとんどの国々と米国での大規模な外出禁止とは違い、日本における日常生活はほとんどが従来通りであった。レストランは開かれたままだった——しかも壊滅的な結果にはならなかった(190)。日本の《検査陽性者》は不思議なくらい少なかった——もしかしたらPCR検査数の少なさが原因かもしれないが。いずれにせよ、感染者数が意味をなさないことはわかっているのだから、あまり大きな問題ではない。見るべき重要な数字は唯一、死者の数だが、それはほんのわずかに過ぎない。ということは、日本も多くの点で適切な措置をとったと思われる。

日本とは違い、韓国では他国に見られないほど多くのPCR検査が行われたが、公共空問でのロックダウン措置は取られなかった。都市閉鎖も外出禁止措置もなく、役所や、商店や、レストラン並びにカフェも開かれたままであった(191)。

韓国が行ったのは、①市民に対する情報提供と、②検査と追跡(トレイシング)であった。ドライブスルー検査センターでの大規模な検査が行われた。感染者の滞在場所が分かる追跡アプリによって、徹底した透明性が確保された。

スウェーデン、アイスランド、香港、韓国、日本――これらの事例全てが示していることは、既に世界の著名な専門家たちが以前から明言していた通りだ。すなわち、ロックダウンはあまりにも大きな社会的・経済的被害をもたらす。百害あって一利無し。ロックダウンに何か有益なことがあっただろうか?

ロックダウンにメリットはあるか？

２０１９年末、ＷＨＯはある文書を公表した。そこには、将来のパンデミックに備えた様々な措置について記されており、実際に２０２０年には、それらの中から、学校の閉鎖や外出禁止などの措置が多くの国々で採用された(192)。

重要な問題は、感染者の数とそれに伴った毎日の重篤者の数をどのようにして抑制するか、ということである。図８－１、２は、我々が毎日のように見せられているものだ。

目標は、以前発表されたように、日々の感染者数を減らすことによって曲線をフラットにすることであり、それによって疫病は長引くものの、医療システムはそれによって負担が軽減されることが見込まれていた。この目標の達成のためには、接触の追跡や、出入国のスク

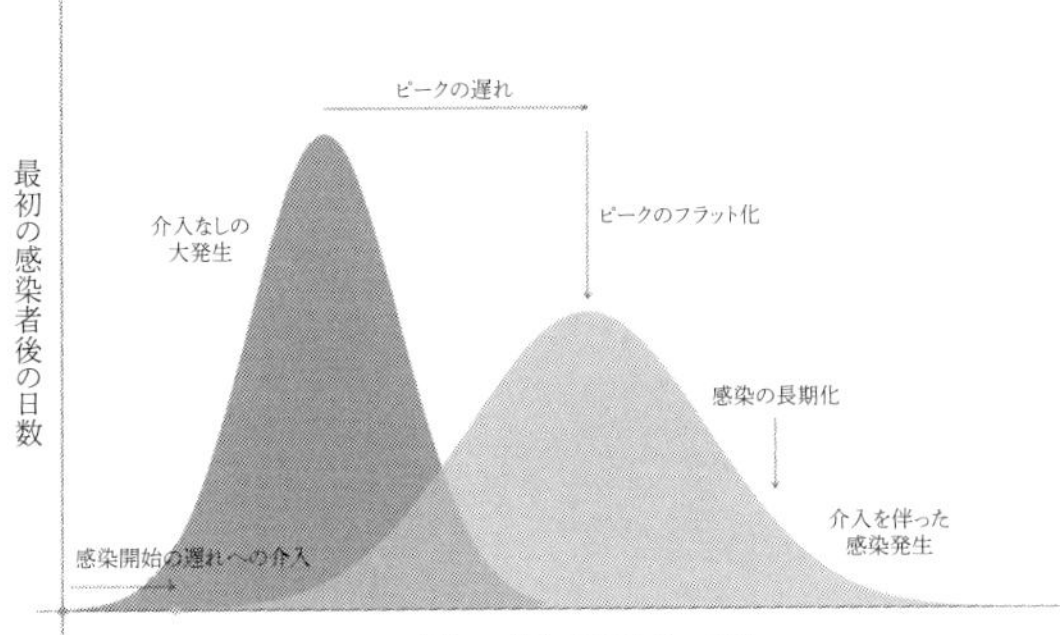

図8-1　縦軸:感染者数／日

いかなる状況下でも推奨できないこと	UVライト 湿度調整 接触の追跡 曝露者の検疫 出入国者スクリーニング 国境閉鎖

図8-2

リーニング、および国境の閉鎖などの措置は考えられていなかったのだ。

興味深いのは、WHOはこの文書の付記として、推奨する措置の効果については確実な科学的証拠は存在しない、とわざわざ書いていることだ。

M.レヴィット

多くの専門家たちも、ロックダウンは間違ったやり方だと考えている。中でもノーベル賞受賞のマイケル・レヴィット氏（Mchael Levitt）（スタンフォード大学構造生物学教授）は、全面的なロックダウンは《大きな誤り》であるとして、リスクグループの保護など、ターゲットを絞った措置をとるべきだと述べている（193）。

にもかかわらず、ほとんどの国々が《模範》としての中国方式に従った。

イタリア全土が3月10日以来、完全な自己隔離状態になった。外出は禁止。緊急の場合や、大事な仕事および必需品の購入などは例外として認められた。6千万人の人間が自宅軟禁、道路は人っ子一人いない状態が続き、ようやく2カ月後に緩和された。スペイン、フランス、アイルランド、ポーランドその他も同様であった。それによって何か効果が得られたのだろうか？　疫病が終息した今、死者の数を見てみよう——ただし、数え方の間違いや死亡原因の定義が曖昧なせいで、かなり割り増しされていることは念頭におかなければならない。

厳しいロックダウン措置を取った国々の死者数は少なかった？

死亡者数（人口１００万人当たり）を、ロックダウンを行ったＥＵ諸国のアルファベット順に見てみると、数値が非常にまちまちだということが見て取れる（最初の13カラム）。平均値は３４０人付近（赤カラム平均と標準偏差）。

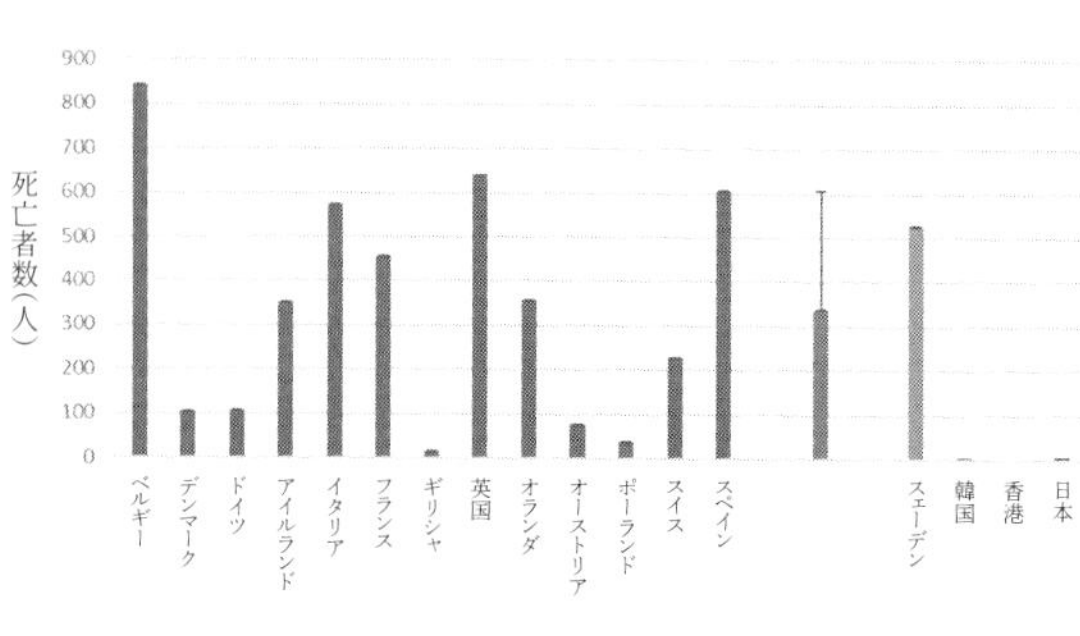

図9　死亡者数／100万人

新聞紙上ではしばしば、スウェーデンは新生活の自由をできるだけ制限しないという政策方針のおかげで、それ相応の高い死亡率という対価を支払うことになるだろう、と報じられた。実際には、ロックダウンをしなかったスウェーデンは――ロックダウンをした他の国々に比べて――大体真ん中辺に位置する。韓国、日本、香港でも、いわゆる《コロナ死亡者》の数は法外とはとても言えない。

つまりここで示されていることは、厳しいロックダウンという措置を取らなかった国々が壊滅的な状態に陥ることはなく、ロックダウンは明らかに不要であったということだ。

さて我々は、COVID-19が、特に既往症のある高齢者にとっては命にかかわる病気だと知っている。つまり介護施設や老人ホームに暮らす多くの高齢者だ。もう1つ重要な問題は次のことだ。

ロックダウンを行った国々では、このリスクグループの人たちはより手厚く保護されたのか？

答えははっきりとノー、である。

どの国でも、《コロナ-死亡者》の半数は老人ホームと介護施設での死亡者である。西側諸国の死亡者数は30％〜60％である(194)。比較的厳しいロックダウンを行ったアイルランド（60％）、ノルウェー（60％）あるいはフランス（51％）はスウェーデン（45％）より少ないとは言えない。介護施設でははっきりとした特別の保護措置が必要で、ロックダウン措置など何の役にも立たない。

リスクグループの保護のために倫理的観点を考慮した合理的なコンセプト(195)が、多分より良いやり方であっただろう。

ロックダウンを即座に中止していたなら、状況は悪化しただろうか？

チェコの例を見てみよう。3月16日から外出制限措置がとられ、市民は仕事や、買い物や、通院、あるいは公園での散歩以外の外出は全て禁止された。この措置は、裁判所の判決に従って4月24日には中止された（図10-1、2の矢印）。新たな多数の感染や死亡者の襲来はあっただろうか？　確かに、実際にそのように見える！　チェコでは、非常に恐れていたCOVID-19感染の第2波がシナリオ通りに全国を駆け巡ったのか？　もちろん、それはなかった。PCR検査をする数が増えただけだった(196)。

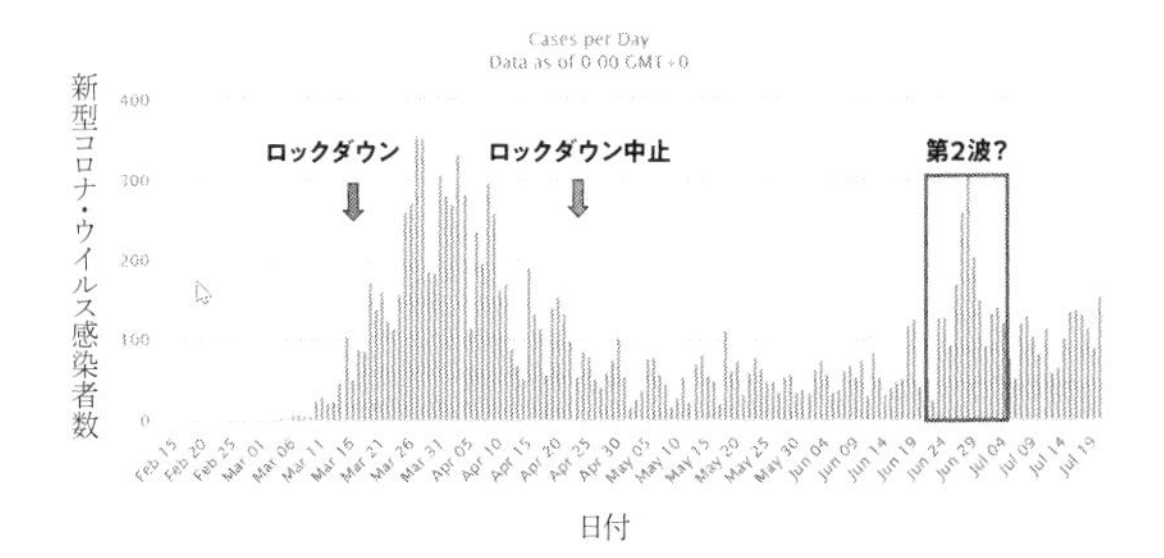

図10-1　チェコ、毎日の新規感染者数

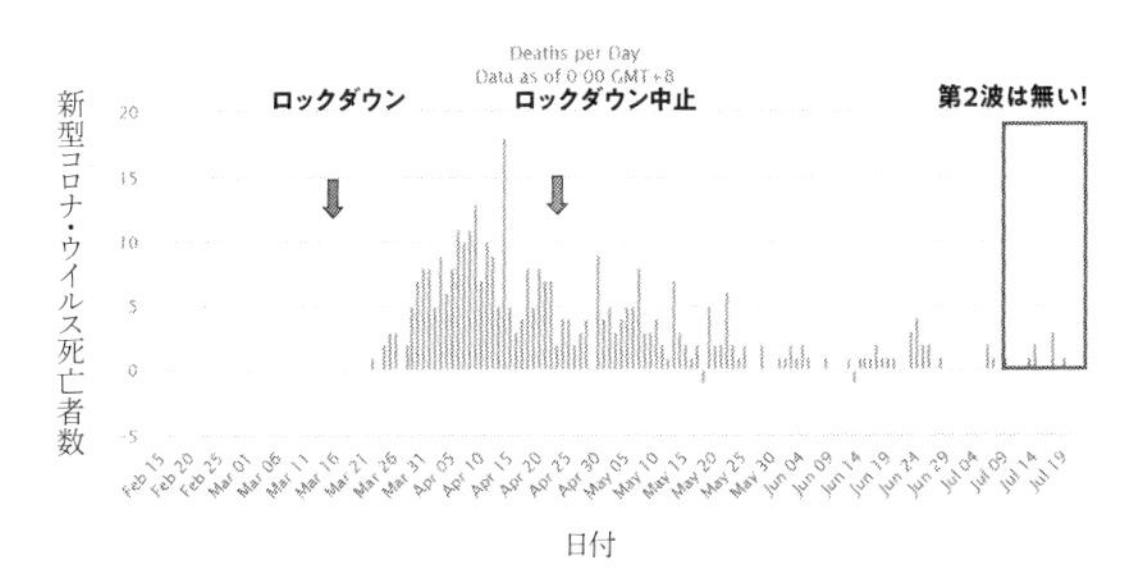

図10-2　チェコ、毎日の死亡者数

これらのデータは、いかに無意味で誤解を招く偽陽性の〝新規感染者〟が、ウイルスが実質上無くなった時に出てきたのかを示している。このことは、日々の死者数を見ても確認できる。潜伏期に相当する遅延のあと、6月中旬に有為な上昇がみられる。しかし、死者数は下がったままで、全国の流行は終息したのだった。

曲線の推移を見ると、どの国でも似たような経過だったことが見て取れる。つまり、WHOの分析が証明されたような印象を受ける。すなわち、ロックダウンのような措置の効果については客観的な証拠はないということだ。そして、その代償は甚大だ(197)。

イスラエルなど少数の国では、第2波のような死者数の増加が見られ、メディアは、恐ろしい第2波の到来に関するニュースを流し続けている。しかし、ここでは注意が必要だ。自分で注意深く見る必要がある。死者数は、住民の数、PCR検査数、総死亡数の平均値と相関しているのだ。もし、新型コロナPCR検査陽性で死亡する人の数がイスラエルのように少ない場合、不自然な数の増加(例えば2から6のように)が必ず起こり、死者数が3

倍になったという衝撃的なニュースが伝えられる。興味深いことに、新型コロナの流行のピークであった3月における、イスラエルの総死亡者数は、この4年間で最低であった。そのために、新型コロナの第1波があったとは言えない。6月のいわゆる新型コロナ死者数は、人口100万人当たりでは、ドイツの半分にも満たない（ワールドメータース、2020年7月）。

適切な措置とは、本来どのようなものであるべきか？

答えは単純だ。リスクグループ、特に老人ホームと介護施設における徹底した保護措置。以上。

M.クレッチマー

ワクチンは万能薬か？

「ワクチンが開発されるまで、普通の生活は戻らない」――ミヒャエル・クレッチマー（Michael Kretschmer）ザクセン州知事は、テレビの政治番組《アンネ・ヴィル・ショー（Anne Will Show）》（ARDドイツ第一テレビの人気報道番組）でそう明言した（198）。

世間では日毎に、まずはワクチンだ、正常な生活に戻るのはそれからだ、という声が大きくなっていった。

7月初頭にドイツ連邦財務省は、経済を押し上げるためのプランを発表した。第53項には次のように書かれている。《ワクチンが出来上がるまで、コロナパンデミックが終息することはない》（199）！ これはヒステリーだ！ 政府はいったい、いつどのようにパンデミックを終わらせるつもりなのか？

復活祭の日曜日、ビル・ゲイツ（Bill Gates）はドイツ公共放送（ARD）のニュース番組《ターゲステーメン（Tagesthemen）》で、ドイツ国民に向かって約10分間にわたり発言するという栄誉に浴した（200）。

インゴ・ツァンペローニ（テレビ司会者）――「このパンデミックは、ワクチンの開発以外に乗り越える道はない、ということがますますはっきりとしてきましたね。」

ビル・ゲイツ――「我々は、これから開発されるはずのワクチンを、最終的には70億人の全人類に届けることになるだろう。副作用の心配は避けられないが、それは仕方がない――基礎データが十分ではないとはいえ、短期間に前進するためにも、我々は新たなワ

B.ゲイツ

クチンの投入を決断する必要がある」

いやはや、不十分なデータを基にした前進？　これが、相対的に低い死亡率で病気と戦うための正しい道だ、と？　なんだか怪しげな響きがするではないか。

まあいいではないか、ぐずぐずするな、急げ！　コロナ-ワクチンの開発を世界中で促進するためのスタートアップ資金はすでに5月初旬にはそろった。EUは支援国会議を開き、75億ユーロの資金を集めた。大部分はドイツとフランスからの資金だ。この特別な目的のために我がドイツ政府は特別プログラムを立ち上げた。それは、ワクチン開発に向けて7億5千万ユーロの基金を設けるというものだ。

だが、ワクチンは本当に意味のあるものなのだろうか？　我々の身体はそれほどウイルスに弱いのか？　どれくらいの数の人々の命が危険にさらされているのだろうか？　この疑問に答える前に、少し寄り道をして、感染症‐免疫学の分野を覗いてみよう。

第六章

COVID-19に対する免疫機構の問題――免疫学短訪

コロナウイルスに対する免疫は何に依存しているのか？

コロナウイルスは、特定の分子（リセプター）を認知するタンパク質の突起（いわゆるスパイク）によって人体の細胞と結合する。これをドアのノブに例えれば、ウイルスはノブを掴んでドアを開く。増殖したウイルスは、周りの細胞に感染して拡散される。

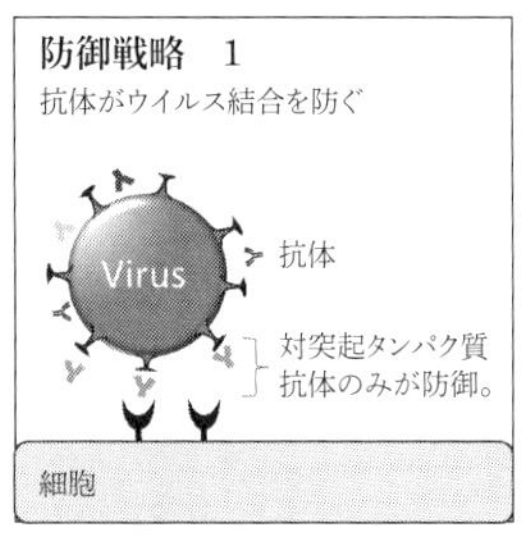

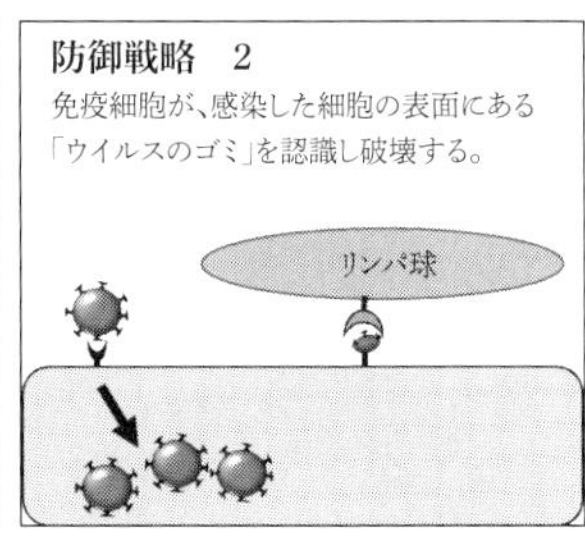

図11　防御戦略

コロナウイルスに対する免疫には2つの柱がある。①抗体、②我々の免疫システムのための細胞、いわゆるヘルパーT細胞とキラーT細胞。

ある新しいウイルスが私たちの体内に入り込み、病気を引き起こした場合、私たちの免疫システムは抗体を作り出す、ということはよく知られている。病気が重い場合には多くの抗体が作られ、病気が軽い場合には抗体は少しか、あるいはほとんど作られない。

多くの種類の抗体が作られ、個々の抗体は、沢山あるウイルスの居場所を特定する。ただ注意すべきは、ウイルスの《手（スパイク）》と結合する抗体のみが防護の働きをするということである。なぜならこれが、ウイルスがドアのノブを掴むことを阻むからだ（ステップ1）。古典的なワクチンは、我々の免疫システムがそのような抗体を作り出すことを促すようにデザインされている。

以下の3つのことを強調しておく必要がある。

1　仮に検査の結果、SARS-CoV-2に対する抗体が発見されなかったとしても、それは必ずしも感染していないことを意味しない。症状が重い場合には大量の抗体が作られることが多いが、症状が軽い場合は抗体の数は少なく、さらに無症状感染者の多くには、おそらく抗体が全く作られないだろう。

2　たくさんの抗体が検出されたとしても、それは免疫が出来上がっていることを意味しない。現在の抗体検査では、ウイルスの《手》に結合する感染阻止抗体を選択的に検出することはできない。それ以外の抗体も同時に出現するからだ。検査を行うことによって、ある個人の《免疫状態》について、信頼できる情報が得られわけではないし、次項で述べるように、基本的に役に立たない。

3

《感染阻止》抗体とウイルスが遭遇した結果は、《黒か白か》ではなく、《今か、今までなかった》というのもでもない。数が重要なのである。感染阻止抗体による防衛線は小さな攻撃は跳ね除けるかもしれない——例えば誰かが離れたところで咳をしたときなどだ。しかしその人が近づいてきたときには、攻撃力は強くなる。平衡状態が崩れるのだ。そして、あるウイルスは障壁を乗り越えて細胞に入り込む。間近にいる人が咳をすると、戦いは一方的になり、ウイルスの勝利に終わる。

　したがって、仮にワクチン接種が、感染阻止抗体を作り出したという意味で《成功》したとしても、それは免疫の獲得を保証するものではない。残念ながら、抗体産生は数カ月後には自然に弱まっていく。もしうまくいって、感染防御能を獲得できたとしても短命に終わる。

ある個人の「免疫状態」記録という考え方は科学的に根拠薄弱だ。

ウイルスが細胞に入り込んだ後、何が起こるか？　SARS-CoV——もともとのSARSウイルスで、現在のSARS-CoV-2に近い親類——についてマウスを使った実験により、次のことがわかった。すなわち、免疫システムの第2の免疫システムであるリンパ球が登場するのである。ヘルパーT細胞が突如として働き出して、そのパートナー、すなわちキラーT細胞を活性化する、という一連の共同作業が行われる（201）。これによって、ウイルスを閉じ込めて殺す細胞が見出されるのだ。ウイルス生産の工場は破壊され、火は消されたのだ。

そうすれば、咳と熱はおさまる。

どの細胞を攻撃すればよいのか、キラーT細胞は、どうやってそれを見分けることができるのか？　わかりやすく言えば次のようなことだ。感染した細胞を、ウイルスの部品を生産し組み立てる一つの工場だと想像してみよう。ウイルスに組み込まれなかった部品はゴミとなり、細胞が上手に排除する。それらを運んで行ってドアの外に出してしまうのだ。パトロール中のキラーT細胞が、ゴミを見つけ、殺すために運んでいく（ステップ2）。

我々の免疫システムの中にある、この第2の免疫システムついて語られることは稀である。しかしこれは実際、何よりも重要なことなのだ。第1の免疫システムであるやや頼りない防御ラインとしての抗体よりもはるかに重要だ。最も重要なことは、いろいろな異なったコロナウイルスから出されたゴミには類似点があるということだ。1つのウイルスのゴミを認識したキラーT細胞はしたがって、他のウイルスの少なくともいくつかのゴミを認識することが期待される。

これは交差免疫を意味するのだろうか？

答えはイエス。これは非常に重要なことだ。コロナウイルスの変異は非常に小さなステップを踏みながら進行する。タイプＡのウイルスに対する感染阻止抗体とリンパ球は、これにきわめて類似した変異体のAaに対してもすこぶる有効である。もし変異体Ｂに遭遇すると、再び風邪をひいて咳をするかもしれないが、その時の免疫は、Ａ、Aa、ＢそしてBbをもカバーするように広がっているのである。

免疫システムのカバーする範囲は、この新たな感染とともに拡大する。そして、メモリーＴ細胞が記憶する。

誰でも幼稚園での最初の年のことは覚えているだろう。ああ、もう二度と嫌だ。あの頃はいつも風邪をひいて鼻水を出して、咳と熱に悩まされた。子供は冬中風邪をひいているものだ！　しかし幸運なことに、2年目には良くなり、さらに3年目には、風邪を引くのは1度か2度くらいで済む。小学校に通い出す頃には、ウイルスと戦うための土台がしっかりと出来上がっている。

《コロナウイルスに対する免疫》とは実際何を意味するのか？

《免疫》とは、全く感染しないことを意味するのだろうか？

答えはノー。それは、感染しても**重篤化しない**ことを意味するのだ。

生体防御は、抗体による感染阻止だけではなく、むしろ《火を消す》ことによって成り立つのだ。新たな変異ウイルスが現れた時には、これに感染する人がいるかもしれない。しかしすぐに火が消されるので、重篤な症状にはならない。稀に重篤化する場合があるが、それは攻撃と防御のバランスが攻撃する側のウイルスに有利な時だ。しかし、既往症がない場合には、バランスは再び元に戻る。ウイルスは克服されるだろう。通常、ウイルスが《ラクダにとっての最後の一本の藁になる（たとえ僅かでも限度を越せば取り返しのつかないことになる、という意味の諺）》のは、既に何らかの病気を持っている人たちの場合である。

これが、コロナウイルス感染が緩やかであり、あるいは無症状でさえあったりする理由で、そして、どんな《新たな》ウイルスの感染でも、第2波や、もっと深刻な波の襲来がない理由だ。

さて、なぜ例年のコロナウイルスの流行は夏に終わるのか？　ひとつ考えてみよう。北ヨーロッパの人々の50％以上は、日照時間の少ない冬の期間に、ビタミンD不足になる。多分、夏には野外での活動が多くなることが、感染が終わる単純かつ重要な理由だろう。太陽を浴びることでビタミンDを補充しているのだ。

流行が起こった後、ウイルスはどうなるか？　同系統のウイルスに混じって次々に移っていく。感染は継続的に起こるが、免疫システムが活性化しているので、ほとんどがそれに気付かれることはない。たまには、夏風邪を引く人もいるだろう。生きるとはそういうものだ。

SARS-CoV-2の場合も同じパターンが期待できるだろうか？

著者たちは、これこそ私たちがこの目で目撃したことだ、と確信している。SARS-CoV-19PCR検査結果が陽性となった人たちの85～90％が罹患しなかった。一番考えられることは、ウイルスの増殖を抑えるのに間に合うタイミングで彼らのリンパ球が火を消したということだ。ごく簡単に言うと、このウイルスは新型で、誰でも感染させることができた。しかし、このウイルスを交差反応により認知するリンパ球の存在のおかげで、集団免疫がすでに広がっていたのだ。

ウイルスに曝露されていない人のリンパ球がSARS-CoV-2を交差反応により認知するという証拠はあるか？

証拠は存在する。最近のドイツにおける研究で、２００７年から２０１９年の間に採取された１８５人の血液から得られたリンパ球が、SARS-CoV-2を交差認知するかどうかについて検証された。肯定的な結果は70～80％にもなり、しかもこれはヘルパーリンパ球にもキラーリンパ球にも当てはまるものであった（202）。米国で20人の曝露されていない血液提供者から得たリンパ球を調べた研究で、同様に、新型ウイルスと交差反応するリンパ球の存在が報告されている（203）。これらの研究及び、あるスウェーデンの研究においてさらに分かったことは、無症状あるいは軽い症状のSARS-CoV-2感染者においても、強いT細胞の免疫応答が誘発されることである（204）。我々は、初感染にも関わらずこのような強力なT細胞の免疫反応が起こったということは、いわゆる反応性T細胞によるブースター効果によるものと考えている。

交差免疫がリンパ球によってSARS-CoV-2に媒介的に働くという考えは検証され得るか？

我々は、リンパ球による集団免疫という概念を、ウイルス感染に対する宿主の免疫という確立された概念に、最新の科学的データ（201〜204）を取り込んで確立した。実際にこの概念を検証することは可能だ。すなわち、最近のある研究で、カニクイザルをSARS-CoV-2に感染させることに成功した（205）。しかし発病したサルは1匹もいなかった。2匹のサルの肺にわずかな傷が見られたが、これはウイルスの活発な生産が起こったという事実の確認になった。

重要なのは、健康な人間に見られたことが、サルにも起こっていると分かったということである。カニクイザルでの実験を、リンパ球を除去した動物で行えば、集団免疫が本当にこの細胞に依存しているかどうかがはっきりするであろう。

ワクチン接種。するべきか、せざるべきか、それが問題だ

天然痘、ジフテリア、破傷風、ポリオなどの恐ろしい病気に対するワクチンの開発は、医学の歴史に大きな転換をもたらした。その後数多くのさらなる病気に対するワクチンが開発され、それらは予防医学の標準的なレパートリーになっている。さて、現在喫緊の問題として浮かび上がってきたのが、コロナウイルス危機を終わらせるために全人類へのワクチン・プログラムが必要かどうか、ということである。これは極めて重要な問題であり、以下の3つの点についてグローバルな合意を得るために、緊急に議論する必要がある。

1　ワクチンの開発はどのような場合に求められるのか？　私たちの答えは次のとおりだ。すなわち、それは感染が健康な人々に定期的に重篤な病気を発症させたり深刻

な後遺症を残したりする場合である。そして今回のSARS-CoV-2はそれには該当しない。

2　大規模なワクチン接種はどのような場合に不必要か？　私たちの提案は次のとおりだ。すなわち、人口の大部分が既に十分に危険な病気から護られている場合には、大規模なワクチン接種は不必要である。

3　ワクチン接種が失敗するのはどのような場合か？　私たちの予測は次のとおりだ。すなわち、世界中で人と動物と共生しているウイルスが継続的に変異する場合や、感染の広がっている最中に人々が大量の数のウイルスに曝露されている場合には、ワクチン接種は失敗する。

著者たちの見解では、グローバルなワクチン接種プログラムは無意味である。仮に何らかの利点があるとしても、リスクの方が遥かに大きいことは、初めから明らかだ。

世界中の専門家たちは、大急ぎで開発したCOVID-19ワクチンを十分な安全の保証もなく使用することに懸念と警告を発している(206、207)。

それでも、研究者たちは現在、150種類以上ものCOVID-19ワクチンの開発に注力しており(208)、中にはすでに日程を前倒しして臨床試験が行われているものもある。ほとんどのワクチンの目的は、ウイルスの突起タンパク質(スパイク)と細胞の反応の結合を防ぐためのハイレベルな中和抗体を作り出すことだ(209、210)。そのための戦略として次の4つのものがある。

1　不活化あるいは弱毒化ウイルス・ワクチン(whole virus vaccines)

不活化ワクチンの開発には大量のウイルスの生産が必要であり、それは鶏の卵か、確立された培養細胞株を用いて増やす必要がある。その際常に、培養によって増やしたウイルスの溶液には危険な汚染物質が含まれ、深刻な副作用を引き起こすリスクがある。さらにワクチン接種によって、症状をかえって悪化させる可能性がある(211)。過去において、不活化された麻疹ワクチンと呼吸器合胞体(RS)ウイルスワクチンの場合に見られたことである(212、213)。

弱毒化されたワクチンには、病気を引き起こす能力を失った複製能があるウイルスが含まれている。古典的な例は経口ポリオ。ワクチンで、これはアフリカで起こった悲惨なポリオ大発生の数十年も前に使用されていた。しかしこのポリオ大発生は自然のウイルスではなく、経口ワクチンによって引き起こされたものだったことがのちに判明した(214)。

2 タンパク質ワクチン。これにはウイルスの突起タンパク質あるいはその断片が含まれている。免疫応答を増強するためにアジュバンドが必ず添加されるが、これにより深刻な副作用が起こり得るのだ(209)。

3 ウイルスベクターを用いた遺伝子ワクチン(ベクターとは遺伝子の運び屋)。原理は、ベクターとなるウイルス(例えば、アデノ・ウイルス)に関連する遺伝子にコロナウイルス遺伝子を組み込むんで、我々の細胞に感染させる。(209)。自己複製能を欠損したベクターは、自身のゲノムを増幅することはできないために、組み込まれたワクチン遺伝子を1コピーだけ細胞に届けることになる。ブースター効果を出すために、複製能力のあるワクチンを作り出す努力がなされてきた。エボラ・ワクチンRVSV-ZEBOVを使って、これが行われた。しかしながら、ウイルスの複製化によって、ワクチン接種者の少なくとも20％に、発疹、血管炎、皮膚炎、関節痛などの酷い副作用を引き起こした。

4

遺伝子ワクチン。この場合、ウイルス遺伝子は、プラスミドという大腸菌の小さな環状DNAに挿入されて、細胞に届けられるか、あるいは細胞に摂取された後に、タンパク質に直接翻訳されるmRNAとして届けられるかのどちらかである。

DNAワクチンの大きな潜在的な危険性は、プラズミドDNAが細胞のゲノム遺伝子に組み込まれてしまうことである(215)。このような遺伝子挿入による突然変異が起こるのは確かに稀であるとはいえ、多数の人間にワクチン接種するような場合では現実味のある危険性だ。仮に、この遺伝子挿入が生殖細胞で行われれば、組み込まれた遺伝子情報が母親から子供へ伝播されてしまう。その他ＤＮＡワクチンの危険性として、ＤＮＡに対する抗体が作られる可能性や自己免疫反応を引き起こすことが想定される(216)。

ｍＲＮＡワクチンの安全性への懸念として、全身性の炎症反応や潜在的な毒性効果が挙げられる(217)。

同様にコロナウイルスのｍＲＮＡワクチンには、さらなる危険性が懸念される。ウイルスタンパク質を生産する細胞は、その外側に排泄物を出す。健康な人のほとんどは、このようなウイルスの排泄物を認知するキラーT細胞を持っている(202、203)。これにより、自己の細胞を攻撃する自己免疫が起こることが避けられない。これがどこで、いつ起こり、そしてどのような結果をもたらすのかについては、全く未知数だ。だが、見通しは恐ろしいものと言うしかない。

しかし、既に何百人というボランティアが、これらの避けようのないリスクについて事前の説明を受けないまま、ウイルスの突起タンパク質を組み込むＤＮＡおよびｍＲＮＡワクチン接種を受けており、さらに多くの人々がこれに続こうとしている。これまでに遺伝子ワクチンの人体への適用は許可されておらず、今回のコロナウイルス・ワクチンも、国際的な規制によって通常は求められる臨床前試験を経ていない。ドイツは、国民全体が遺伝子組み換え食品を拒否し、動物実験にも反対している国ではあるが、そのドイツが現在、人体へのこのような遺伝子による実験の最前線に立っているのだ。普通の状況であれば、絶対に不可能であるはずのやり方で、法律や安全性に関する規制が無視されているのだ。政府が未だに《全国的な感染の広がり》――重症の感染患者がもはやいない状態でも――と喧伝しているのは、もしかしたらこれが目的であるからか？　そうであればこそ、新ドイツ感染予防法なるものは、政府に対して、医薬品製造に関する規定や、医療機器に関する規制や、職業上の安全と保健に関する規制などについて、例外措置をとる権限を与えるものとなっているのか？そしてこれが、最速のワクチン開発プロジェクトへの青信号を与えたのだ。

しかし、私たち著者は、潜在的危険性について何の事前説明も受けていない人々に対して、遺伝子人体実験まで許容されるという事態に、この感染予防法が適用され得るものだろうか、と疑問に思っている。

パンデミックなのか、パンデミックでないのか？――WHOの役割

今回ほど強烈ではなかったが、パンデミックによるワクチン騒ぎを、我々はすでに経験している。

２００９年にちょうど同じことが豚インフルでおこったではないか。このような致死性の高いパンデミックを止めるには、ワクチンがどうしても必要であるとされた、そしてワクチンは驚異的な速さで生産され、世界中に大量に販売された。

２００９年以前は、パンデミックには３つの基準を満たす必要があった(218)。

・病原体は、我々の体がそれに対してまだ防御体制ができていないような、新規に出現したものであること。
・病原体は、国から国へ、大陸から大陸へと非常に速く広がり、世界中が危険に晒されるものであること。
・病原体は、重篤で高い死亡率を示す病気を引き起こすものであること。

豚インフルの結果は、この基準の最初の2つには適合したが、3つ目には適合しなかった。パンデミック宣言については、WHOの資金提供者である製薬産業界からの強い圧力があった(219)。WHOは天才的な一打で、ゴルディアスの結び目を切った(「難題を一刀両断に解くが如く」の意)。パンデミックは、病気が深刻であろうがなかろうが宣言できるように基準を変えたのだ。

さらに、2010年にパンデミックの定義は、「新しい病気の世界的蔓延」とまで単純化されたのだ。インフルやコロナウイルスは、変異をし続けており、変異株は時として、非典型的な病気を引き起こし、「新型」と呼ばれることになる。豚インフルは、パンデミックを操作することでパニックを作り出す道筋を作り出す最初の練習の舞台になったというわけだ。

パンデミックを宣言すれば、特に製薬会社などには多くの可能性が開けてくる。ところで、WHOという巨大な組織はその資金の80%を外部からの寄付、特に製薬業界からの寄付に頼っている。

既にその頃ドイツでも人々の恐怖心が煽られた——もっとも、今回のコロナパンデミックに比べれば子供の悪戯程度ではあったが。当時の新聞の見出しは、例えばこうだった。《豚インフル。嵐の前の静けさ?》(220)

興味深いのは、この見出しは２００９年12月のもので、病気になった者は誰もおらず、感染も以前のインフルエンザの時よりも緩やかであったことだ。にもかかわらずウイルス学者たちは、このウイルスの危険性を軽く見てはいけない、と警告を発したのだ。《このウイルスを動物実験で観察し、以前のウイルスらと比べると、このウイルスが無害だは全く言えない！　毎年やってくるＨ３Ｎ２ウイルスよりも遥かに危険なものだ》

いいだろう、そうかもしれない。しかしそれが人間の医学と何の関係があるというのか？　そのような恐怖心を自信たっぷりに広げた著名な科学者とは、いったい誰なのか？　ああ、なるほど、例のドロステンなる人物だ。

新聞の記事はこう続く。これからやって来るクリスマス週間に、ドイツ人が互いにウイルスを移して盛大に混ぜ合うようなことになれば、第２波は避けられそうもない。そうすれば第１波よりも酷(ひど)いことになるかもしれない。

第2波がくれば医療システムの崩壊を招き、悲惨な事態になる、と言ったのは、かつてのドロスデン教授ではなく、ミュンスター大学のペータース（Peters）教授である。彼は、重症者ユニットのベッド数が不足する上に、さらに多くの患者に人工呼吸器が必要になるという懸念を表明し、非常に多くの数の病院が悲惨な状況になるかも知れない、と示唆した。

さて、第1波がすでに終息した後の数カ月間、無害な豚インフルの危険な第2波が実際に襲来したかどうかと問う必要もない。私たちは今、既視感を味わっているのだろうか？

RKIとドロステン氏は、副作用の危険性についてほとんど実験検査されていないH1N1ワクチンを全国民に接種することを推奨した。

ドイツ政府と連邦各州は全ドイツ国民用に6千万本のワクチンを購入した。しかも、ほとんど安全性がＰＣＲ検査されていないアジュバント（免疫増強剤）入りのワクチンは一般国民用で、政府高官らに対してのみアジュバントが入っていないワクチンが用意されたのだ（221）。

もう一度言うが、これが起こったのは、豚インフルがこれまでのインフルエンザの中で最も弱い無害なインフルエンザであることが、すでに明らかになっていた時点のことなのだ。ほとんどの市民は、２００９年にパンデミックがあったことなど知らなかったし、幸運なことにワクチン接種もせずにすんだ。この騒ぎの結末はどうだったか？　トラックに積まれたままの数千万本のワクチンは最終的に１カ所に集められて、マグデブルクのゴミ再処理工場に捨てられた。それとともに、納税者のお金も……いや、もちろんそうではなく、お金の所有者が変わったのだ。製薬会社にとっては見込んだ通りの儲けだった。ご破算で願いましては、１８０億米ドル也（222）。

実際にこれが悪夢の終わりではなかった。今日ではほとんど忘れられたことだが、あるアジュバンド入りの豚インフルワクチンが、数千もの命を奪った(224、225)。副作用が起こったのは、ウイルスに対する抗体が脳に対して交差免疫応答を引き起こしたためだ。障害は、古典的な、抗体によって誘導された自己免疫疾患の結果なのである。副作用が起こることは、比較的まれである。しかし、発生頻度はおそらく1万分の1程度だが、数百万人がワクチン接種されたので、結果は悲惨であった。感染の方は、マイルドな経過をとるので、何も被害はないのはずだが……。振り返ってみれば、豚インフルワクチン接種のリスク/利点の比率は悲惨なレベルになることが予想できたはずだ。これが、必要もないのに大規模ワクチン接種が実施された時に起こることなのだ。

第七章

公共メディアの機能不全

《人々を騙す方が、あなたがたは騙されている、と彼らを説得することよりも、容易だ。》

（マーク・トウェイン）

民主主義が機能している社会においては、メディアは以下のような基本的な役割を果たさなければならない。すなわち、一般市民に対して真実を報道し、批判と議論によってオピニオン形成に貢献し、「第4の権力として」不偏不党と独立性を守り、政府の行動を監視しなければならない。

私たちがコロナウイルス・パンデミックで経験したことは、まさにこれとは正反対のことであった(226)。

特に、全ての公共放送は政府の忠実な代弁者となった。主要な新聞も同様であった。真実への敬意、人間の尊厳の保護、そして公共への奉仕――これらのプレスコードが完全に消えてしまったのだ。全世界的に。

真実の情報は、どこにあったのか?

そしてそれらの情報について、批判的な議論がどこかでなされたであろうか?

私たちは、毎日、朝から夜まで、おぞましい映像と恐るべき数字を見せつけられ続けた。

権威筋が――やれドロステン氏が、やれヴィーラー氏が、やれシュパーン氏が、やれメルケル首相が――警告を発したと、ひっきりなしに聞かされる。誰か、彼らの警告が正しいのかどうか、疑問を持ち調査し検証した人間がいただろうか？

国民に、怖がる必要はないと説くのではなく、むしろ恐怖心を煽ることが唯一のメッセージであった[227]。数百万人の死者を予測する報道がなされても、それがモデル上の計算に過ぎないことは全く報じられない。この数字を弾き出した（英国の責任者であった）N・ファーガソン氏が、これまで何度も間違った予測を立てたことへの言及は全くなかった。

A.メルケル

N.ファーガソン

同様に、メディアは、RKIによる数字が何に由来するものなのか、それらが何を意味し、何を意味しないのかについて問うべきであったのに、数字がそのまま何の批判もなく、ただ国民の不安を煽ることに終始した。

オープンな議論はどこにあったか？

これ以上にモノトーンな論調がかつてあっただろうか？　常に同じ《専門家》の顔ぶれ――といってもドイツには2つの顔しかない。政府の意向に十分に沿う専門家というわけか？　なぜ、政府のアドバイザーと批判者たちを集めた会議で、オープンな議論をしないのか？　片や、ドロステン氏とヴィーラー氏、片やバクディ氏とヴォダーク氏の円卓会議が、なぜ開かれないのか。それは、バクディ氏やヴォダーク氏、そして他の多くの批判者たちの責任ではない。残念なことに、政府が彼らを遠ざけたのだ。

ロックダウンをしないスウェーデンの方針がスウェーデンの多くの専門家から批判されている、との報道が少なからずあった。しかし、ロックダウンを行ったドイツ政府の方針が自国の多くの科学者や医師たちから同様に強く批判されていることは、公共放送で話題にされることはほとんどなかった。

ヴォダーク氏の他にも免疫学者であり毒物学者のシュテファン・ホッケルッ（Stefan Hockertz）教授は早くから、SARS-CoV-19は危険性の点で従来のインフルエンザ・ウイルスと変わりなく、ロックダウンのような措置は完全に行き過ぎだと指摘していた。また、心理学のクリストフ・クーバントナー教授も繰り返し、コロナに対するロックダウン措置には何ら科学的な裏付けはない、と主張してきた（228）。

ジンスハイムのNHO（耳鼻咽喉科）病院のボードー・シフマン博士は、本来ジャーナリストが果たすべき仕事を行っている。ほぼ毎日、彼は疲れを知らないエネルギーと持続力で、YouTubeビデオで人々に現状について情報を伝え、公式の数字やその誤りについて説明している。

ドイツ国内での多くの批判的な声とともに、世界中でたくさんの声が挙がっている（229、230）。その声はドイツ国民に届いたであろうか？

そのことについて単に無視したまま報じないのは、戦略としては単純で、成功しそうに思える。しかし啓発された民主主義社会では、そんなジャーナリズムに居場所はないはずだ。

政府に同調する《システム・ジャーナリズム》と言われるものは、専門家たちには見破られている。メディア学者のオトフリード・ヤレン（Otfried Jarren）教授は、ドイツ放送（231）で次のような批判を行なっている。「何週間も前から同じ顔ぶれの専門家たちが、《危機管理専門家》と称して、メディアに顔を出している。しかし、誰が何の専門家で、誰がどんな役割を担っているのか、一切説明がない。しかも専門家同士の議論というものがなく、それぞれが自説を主張するだけだ」

数字ゲーム

数字を使って色々なことができる。人々を怖がらせるには最適だ。

事例① 感染者数。感染者数は継続的に増えているために、やがて保健・医療システムが崩壊するであろう――一方、回復者の数もどんどん増えており、医療崩壊を想定する理由はない、ということは明かされない。

事例② 死者数。米合衆国の死者数は世界で最も多い！ それは大変だ、どうしよう！5月28日、ターゲスシャウ（Tagesschau、ARD＝ドイツ第一テレビの夜の報道番組）は、多くの死体の映像とともに次のように伝えた。「COVID-19による死者たちの死体です。10万人を超える死者数は世界で最も多い犠牲者の数です」

今や我々にはわかっている、これら同情すべき人々の大半がCOVID-19で死亡したのではなく、COVID-19対策による犠牲者だったということが。

さて、米合衆国は世界で3番目に多い人口を抱える国だ。その意味では、死亡者の数を人口10万人あたりの割合で見る方が、より適切なのではないだろうか？　そうすれば、死亡率は相対的には低いことがわかる——スペインやイタリアよりもはるかに低くなる。このことも報道すべきではなかったか？　さらに、真っ当なジャーナリズムであるならば、「死者の数」自体は、数え方が国によって違っているので、絶対的なものではない、ということも指摘して然るべきだろう。

人口10万人あたりの死亡者数が最も多いのは、ベルギーである。スペインやイタリアよりもはるかに多い数字だ。ベルギーの状況はそんなに劇的なものであったのだろうか？　否である。すでに見たように、カウントの仕方に根本的な問題があるのだ(38)。このような事実がメディアによって伝えられなければ、人は容易に数字について誤った判断をしてしまう。

誹謗中傷と信用失墜

批判的な声を上げる人がいると、すぐさまその人物の信用を失墜させることによって黙らせるアクションが取られる。肺の専門医であるヴォダーク博士は、真っ先に声を上げた。氏に対する誹謗中傷キャンペーンは例を見ないほど激しいものであった。

W.ヴォダーク

私たちの最初のYouTubeビデオが公開されたとき（その中で私たちは、度を超えた措置によって引き起こされる被害に対して警告を発し、さらに、イタリアでは、例えば空気汚染の酷さもウイルス以外の要因として勘案すべきだ、と指摘した）、《ファクト・チェック》なるものがあった。《なぜスチャリット・バクディ氏の数字は間違っているのか》というヘッドラインのもと、あるレポートがZDF（ドイツ第二テレビ）のメディアテックで流された。レポートでは、ニルス・メツガーなる人物が、ことの真相に迫るという触れ込みで次のように書いている（232）。《生物学教授、コロナの危険性を過小評価》。見出しとしては申し分なしだ。タイトルそのものが、バクディという人間は多くの患者を治療してきた医師でも疫病感染症学者でもなく、一生物学者であるということをほのめかしている。そしていつしか、人が言ってもいないことが人口に膾炙（かいしゃ）するようになり、その人物の信用が失墜させられる揺るぎない状況が作り上げられる。メツガー氏曰く、「スチャリット・バクディがビデオで空気汚染を危機の唯一の原因であるかのように言っているのは、非科学的である」。もちろん、死亡者数の多さの唯一の要因が空気汚染だなどとは、私たちはビデオのどの箇所でも言ってはいない。なぜなら、それは確かに非科学的な主張だから。メツガー氏の主張は真っ赤な嘘である。だが、昔からZDF（ドイツ第二放送）／ARD（ドイツ第一放送）という公共テレビを信じてきた人たちは、事実をわざわざ検証しようとはしない。

公共のテレビが言うことは正しいに違いない、と考える人たちがいまだに非常にたくさんいることは、残念ながら事実である。しかし、お気の毒だが、真実は違うのだ。

検閲

ドイツ基本法第5条＝《誰でも、自身の意見を言葉で、文字で、画像で発し、そして広げる権利を有する（……）。検閲は行われない》

新聞にも公共放送にも、批判的な意見を述べる場所がない。人々に真実を伝えるためには、ソーシャルメディア、とりわけYouTubeを使うしか方法がない。だが、ここでも意見を述べる自由はもはやない。中には、嘘やヘイトや煽動を含むビデオが、罰せられることもなく数多く存在するが、YouTubeは問題にしていないことは明らかだ。しかし、オーストリアのテレビ放送であるServus-TVでのコロナに関するバクディのインタビューは削除された。理由は明らかにされていない。同様に、この問題を批判的に扱った多くのビデオが削除されてしまっている。YouTubeのCEOであるスーザン・ヴォジチッキ（Susan Wojcicki）は、あるインタビュー(233)で、「WHOの勧告に反するものは全て我々の方針に違反するものだ。したがって、そのようなものを削除することは我が社の方針の重要な一部でもある」。なるほど、2009年のあの豚インフルエンザ−フェイク−パンデミックの責任を負うべきWHOの勧告というわけか？　COVID-19の死者数を、周知の如く実際の数倍も多く見積もり、その他の誤報で世界中を危機に陥れた、あのWHOの勧告？　人が何を言ってよいか、基準はWHOが決めることなのか？

Whatsuppも黙ってはいない。拡散機能が制限される。なぜ？　コロナ−危機においてはフェイクニュースの氾濫を堰き止めなければならないから。では、何がフェイクニュースか、いったい誰が決めるのだろうか？　もしも、我々の政府自身がフェイクニュースを広げているとしたら、いったいどうすればいいのか？　……思い出そう。３月14日に、シュパーン保健相はツイッターに次のように書いた。

「フェイクニュースに注意！　連邦政府がまもなく大規模なさらなる公生活上の制限を発表する、ということを言う人たちがいる。それは**間違いだ！**」

２日後に、我々の公共空間における生活は大規模に制限された。

世界的に著名な英国のウイルス学者ジョン・オックスフォード（John Oxford）教授のコロナ危機に対する言葉を紹介しておこう（234）。

J.オックスフォード

私の個人的な意見としては、こういう危機の時にはテレビのニュースを見ないことが一番だ。《センセーショナル》だが、感心できない。私は個人的には、このCovidの発生は、冬季の強いインフルエンザの

一種と見ている。我々はメディア・パンデミックに苦しめられているのだ！

第八章

善良なドイツ市民と政治の破綻

「千回も聞かされる嘘を信じることの方が、たった一回しか聞かされない真実を信じるよりも、容易い」

（エイブラハム・リンカーン）

国家の分断、かつて我々はそれを一度経験したことがある。難民問題の時期だ。この問題について国論は真っ二つに分かれた。憤る人間と優しい人間などと言われたものだ。

今回の分断はより深刻なものだ。友人関係は壊れ、人々はお互いを許し合えない。頭ごなしに、敵対的に言い争うが、ともに語り合うことがない。ある人は副次的被害について不安を言葉にし、ある人は高齢者の権利の擁護者と自称しつつ、国の経済を救うために老人たちが犠牲になるべきだ、と主張する。

ロックダウンの延長決定に関するメルケル首相の演説について、ある地方新聞に次のようなコメントが掲載された。

「私はとても安心しました。ディスタンスを守り、友人と会うことや家族を訪問することや、その他何もかもを放棄することが全て正しかったのだと思って、とても気が楽になりました。そして今後もずっとこうしていればいいのだと思い、とても安心しました」。残念なことに、このように思う人は少なくない。

メディア・エピデミックの犠牲者は少なくない。

心理学者でありリスク研究者のゲルト・ギゲレンツァー（Gerd Gigerenzer）教授は、このことについてあるインタビューで次のように話している（234）。

「ショックリスクに対する我々の恐怖心——つまり突然たくさんの人間が、短期間のうちに命を失う、といったことが起こるかもしれないという恐怖心——に火をつけるのは簡単なことだ。新型のコロナウイルスはそのようなショックリスクかもしれない。ちょうど飛行機の墜落や、テロ攻撃や、あるいは別のパンデミックと同じように。短期間ではなく、1年のバラバラな期間に人々が死んでいくことは、特に恐怖心を感じさせはしない。たとえ死亡者の数が遥かに多いとしても」。

G.ギゲレンツァー

確かにそうだ。疫病が終息した今、眺めてみれば、ロックダウンその他の緊急措置に何らかの効果があったかどうかは別にして、ドイツでの《コロナ死亡者》の数は1万人を遥かに下回る数だ。

ドイツでは毎年約95万人の人々が死んでいく。

そのうちの35万人、つまり3分の1以上が、心臓・循環器の病気で死亡する。そして23万人の死因は癌である(235)。

幼い頃から学校や市民に対する生涯教育において、運動や健康な食事がどれほど重要か、太り過ぎがどれほど危険か、タバコはどれだけ体に悪いかなどの情報提供や教育を行っていれば、これらの95万人の死亡者のうち、多くの人が死ななくて済んだかもしれない。毎年数千人の死者を減らすことが出来るのだ。ほんの一滴のウイルスが、ラクダの背中から流出することが無いように、呼吸器官感染による死亡者の数も減らすことができたであろう。これは多種多様なコロナウイルスのみに言えることではなく、およそ全てのウイルス（アデノ・ウイルス、インフルエンザ・ウイルス、パラ-インフルエンザ・ウイルス　その他……）についても当てはまることであり、それはこれまでもそうであったし、これからも変わらない。

なぜ政治は破綻したのか？

私たちのある同僚が、事情を理解したときに、こう言った。「そんなことありえない。つまりそれは、我々の政府とアドバイザーたちが全くバカか無能ということになる——あるいは、仮に彼らがバカでなければ、背後にある意図が働いている**はず**だ。それ以外にどうやって説明すればいいのだ？」

H.シュミット

政治家の器を持った最後の政治家の一人であった故ヘルムート・シュミット首相（在位1974〜1882）はかつてこう言った。「政府の愚かさを決して過小評価してはいけない。」確かに、彼は正しかった。それにしても**これほどまでに**バカだったとは⁈　本当なのだろうか？　とても信じられないことではあるし、また信じたくもないことだ。とすれば、残るのは第2の疑問ということになる。つまり、背後にどんな意図が隠されているのか？　そんな素朴な疑問に対し、政治家は決まったように、《陰謀論》というレッテルを貼る。

なぜ我々の政府は異なった意見を無視し、根拠もなく完全に恣意的な決定を下すのか？なぜ我々の政府はドイツ国民の幸福のために行動しないのか？

スウェーデンのヨハン・ギーゼケ教授（前出）によれば、政治家たちは、自らの立場を有利にするためにパンデミックを利用し、十分な科学的根拠のない緊急措置も平然として実施する(196)。「政治家というものは、行動力や、決断力や、特に強さを誇示したいものなのです。私が知る中で一番の傑作は、アジアの複数の国で歩道に塩素が撒かれたというものです。これは全くナンセンスなことですが、ともかく、責任当局と国が何らかの対応をしたということを見せることはできたし、これこそが政治家にとっては非常に重要なことなのです」

オーストリアでも、ギーゼケ教授の主張が正しいと思わせる事例がある。オーストリア政府はコロナ危機における危機管理に当たって、自ら指名した科学者たちや役人の専門家としての見識を信頼しなかったのだ。ある会話の記録から、セバスチャン・クルツ（Sebastian Kurz）首相が厳しい制限措置を実施する際に、国民が社会的・経済的負担を容易に受け入れられるように、国民の啓発を行うのではなく、恐怖心を煽る方向に賭けたことが明らかになった(236)。

S.クルツ

ドイツも状況は同じであった。全く非合理的でバランスを欠いた我々の政府の対策が、正しいものであったと国民に信じ込ませるために、政府はメディアを使って不安と恐怖心を煽ったのだ。

政府の方針に対して経済界から批判がほとんど出なかったのは、そもそもなぜなのか?

株式の専門家として有名なディルク・ミュラー(Dirk Müller)氏は、あるYouTubeビデオで、なぜ多くの経済人にとって今回のパンデミックが恵の雨であったのか、非常に明快に説明している(237)。(いつも同じシナリオなので)簡単に言うと、大きな方が儲けて、小さな方が負ける、ということだ。大企業は最終的には救済されるが、中小企業や個人事業は潰される。財政学のシュテファン・ホンブルク教授(前出)はこれを《平時における最大の分配プログラム》と呼ぶ。負けるのは納税者、というわけだ(238)。

D.ミュラー

科学者たちから政府に対する批判がこれだけ少ないのは、そもそもなぜなのか？

幼稚な幻想は捨てるべきだ。学問も政治に負けず劣らず腐敗しているのだから。ＥＵは新型コロナウイルスの研究のために１千万ユーロを用意した。このウイルスについて研究したいものは誰でも、研究費の申請が許される。その結果、我々はSARS-CoV-2について、役にも立たない情報を山のように見せられることになるのだ。

このような状況下で、このウイルスは比較的害のないものだ、などと指摘することは、研究者自身にとって、あまり得なことではない。

結論

▼政府に課せられた義務とは、ドイツ国民の健康と福祉に尽くすことである。

▼野党の義務とは、政府をチェックし、その任務を思い出させることである。

▼新聞の義務とは、批判的報道を通じて一般国民に情報を提供し、真実と人間の尊厳を重んじることである。

▼《識者》(この場合は医師と科学者)の義務とは、自らの意見を述べ、客観的根拠に基づいた決定を促すことである。

▼自らの義務に背いたものは誰もが、2020年コロナ危機の副次的被害の責任をともに負うべきである。

第九章

我々はどこへ行くのか?

「すべての人々をある期間だけ騙すことは可能であり、
多少の人々を騙し続けることも可能だ。
しかし、すべての人々を永遠に騙し続けることは不可能だ。」

(エイブラハム・リンカーン)

既に述べたように、責任当局も、我々が選んだ政治家も、そのアドバイザーも、過去数十年に流行したあらゆる疫病に際して、実に不名誉な役回りしか演じることができなかった。

それはＢＳＥに始まり、豚インフルエンザ、ＥＨＥＣ、そしてCOVID-19に至るまで、変わらない。いつまでたっても、失敗から学ぶことはなかった。これでは、将来に物事が変わるという期待は消える。実際は全く逆である。豚インフルエンザの時には、国民の血税が製薬会社に無意味に配られる《だけ》ですんだが、今回は生存が破壊され、基本法（憲法）が踏みにじられ、国民の基本的人権が実質的に剥奪された。言論の自由、移動の自由、移転の自由、その他多くの基本的人権が剥奪された。憲法に、妥当性の原則が定められている。すなわち、基本的人権への国家による介入は、達成すべき目的との妥当性が担保されていなければならない。

しかし、そのようなことは為されなかった。あってはならないことである。

かつて、批判的で自由なジャーナリズムが破壊され、メディアが国家の手先にされたことがあった。あれから、かれこれ90年ほどが過ぎ去った。

かつて言論の自由が破壊され、国論が一つにされたことがあった。あれから、かれこれ90年ほどが過ぎ去った。

我々が、あの暗い時代から学んだことが一つあるとすれば、それは次のようなことだろう。すなわち、我々はもう二度と、無関心を装い目を背けてはいけない。我々の政府が民主主義に基づく基本的人権を捨て去ろうとする時は、なおさらのことだ。今回の騒ぎでは、単なる普通のウイルスが訪れたに過ぎないのに、我々が経験したことは、

・メディアに煽られた集団ヒステリー
・恣意的な政治的決定
・基本的人権の大幅な制限
・言論・意見表明の検閲

・メディア統制
・異論を表明する者への誹謗中傷
・密告

これらを経験して、ある一人の独裁者を思い出さない人間は、きっと歴史の授業で居眠りをしていたに違いない。我々の中には深い憂慮と不安が残ったままだ。それは、物事があまりにも早く行われたからであり、また、これほど多くの知識人や教育のある人々がたった3カ月という短期間に、世界のエリートの要求と命令に対してレミングのように服従してしまったからでもある。

著名なウイルス学者であるパブロ・ゴルトシュミット（Pablo Goldschmidt）は言っている(239)。「私たちは皆閉じ込められた。ニースでは、上空のドローンが人々から罰金を脅し取っている。いつの間にこんな監視体制が出来上がったのだろうか？ 今私たちは、ハンナ・アーレントを読んで、当時全体主義がどのように始まったのかを詳細に知るべきだ（ハンナ・アーレント（Hanna Ahrend）『全体主義の起源』みすず書房）。彼女は確言する。「国民に不安と恐怖の念を抱かせる者は、彼らをどのようにでも操ることができる。」

この言葉が正しいのは明白だ。はっきりしているのは、解明すべきことがたくさんあるということだ。それが行われるように強く要求するべきだ。コロナウイルスは、今シーズンは収まったし、このテーマも、新聞の見出しからも社会からも消えていく——そうすれば、まもなく我々の記憶からも消えていくだろう。コロナに対する政策があらゆる領域で破綻をきたしたという事実。それを問題にするように、我々国民が要求しなければ、権力者たちは素知らぬ顔でその座に居続けることになる。

P. ゴルトシュミット

H. アーレント

いつ何時、再び何らかの脅威に襲われることになるかもしれない。

この危機で唯一ポジティブなことがあったとすれば、それは、多くの市民たちがこれをきっかけに覚醒したということだ。多くの人々は気づいたのだ。公共放送と政治家は、目的がよからぬものであろうと、協力し合って互いに支え合うものなのだ。将来においては、警告を発する理性の声がもっと大きくなること、政治家たちの威嚇に屈することがなくなることを、心から望むばかりである。

呼吸器系のウイルスは、世界中で主要な致死性の感染症を引き起こしており、毎年2～3百万人が死亡していると推定される。A型インフルエンザウイルス、ライノウイルス、RSウイルス、パラインフルエンザウイルス、アデノウイルス、コロナウイルスなど多くのウイルスがその原因となっている。今、これに新しいメンバーが加わった。他のウイルスと同様に、SARS-CoV-2-ウイルスによる病気は、とりわけ既に他の病気を1つ以上抱えた高齢者にとっては危険である。国や地域によって違いはあるが、全体的には感染者のうちの0・02%～0・4%の人々が死亡する。これは季節性のインフルエンザとほぼ同じである。この感染症は全国的な広がりを持った感染は起こさなかった。

SARS-CoV-2のアウトブレークは、国家レベルの流行になったことはない。感染者保護法の例外規定が適用されたことは、いまだに続いているが、保証はされていない。

加えて、遅くとも2020年4月中旬には疫病は終息に向かっており、極端な制限措置があらゆる生活領域においてかつてないほどの副次的被害を引き起こしたことは明白であった。それにもかかわらず、政府はお化けのようなウイルス対策として、多くの人々が自由で民主主義的な憲法と合致しないと考えるであろう、無知による不適切な方針に固執した。

そして、この流れでいくと、想定外の危険性を秘めた遺伝子ワクチンの人体実験が数千人規模の、専門知識を持たないボランティアに対して行われるだろう。

私たちは今、人類の遺産の崩落と破壊、啓蒙の時代の終焉を目撃している。

この小著が、地球上のホモサピエンスを目覚めさせ、その名にふさわしいものとして生きるために貢献できることを祈る。そして、この無意味な自己破壊行為ができるだけ早く終りを迎えますように。

付録

メルケル連邦首相への公開書簡

メルケル首相
連邦首相官邸
Willy-Brandt-Straße 1
10557 Berlin

キール、2020年3月26日

公開書簡

敬愛するメルケル連邦首相、

元ヨナネス・グーテンベルク大学マインツの教授として、そして長期に渡って同大学病理微生物学並びに衛生学研究所を率いてきた主任教授として、COVID-19ウイルスの拡散を減じる目的で現在我々に課せられている公共空間での生活の大幅な制限に関して、批判的に疑問の声を上げる必要を感じ、この書簡を送るものであります。

まず、ウイルス感染の危険性を軽視することはもとより、特定の政治的メッセージを吹聴することが私の目的でないことを明言しておきます。しかしながら、科学者として社会に貢献するために、現在得られる限りのデータを正しく整理し、これまで知り得た事実を俯瞰し、そしてさらに、現在盛んに議論されていることの中で置き去りにされていることへの疑問を提示することを、私の義務と感じます。

何よりも私は、現在ヨーロッパの多くの国々で、そしてすでにドイツにおいて、大規模に施行されている、ウイルス鎮静化のための行き過ぎた措置がもたらす社会と経済への計り知れない影響について、大変心配しております。

私が望むことは、公共空間における人々の行動の制限措置のメリットとデメリット、そしてその結果生じる長期的な影響について、批判的に——そしてなるべく広い視野のもとに——議論することです。

つきましては、私には次のような5つの疑問があります。これらの疑問について、徹底した分析が不可欠である問題であるにもかかわらず、これまで十分な答えが出されたことはありませんでした。

以下の質問について、首相ご自身のご意見を乞うと同時に、連邦政府に対して、リスクグループを効果的に保護するための方策を講じることを訴えます。その際、ドイツ全土で市民の生活に分断をもたらすことで、ただでさえすでに起きている社会の深刻な分断の種をこれ以上に撒くことのないよう、切にお願いする次第です。

医学博士・名誉教授スチャリット・バクディ

敬具

1　統計

感染症学――ロベルト・コッホ自らによって基礎付けられたもの――において、伝統的に感染と罹患は区別される。罹患には臨床上の発症が伴う。したがって、例えば熱や咳などの症状を伴う患者のみが、新規の罹患者として統計に参入される。

言い換えれば、新規感染者——COVID-19用のＰＣＲ検査で測定されるような——という場合、これは、必ずしも、新規に罹患し、病院での手当が必要な患者、ということを意味するものではない。しかし現在、すべての感染者の５％が重篤になり、人工呼吸器を必要とする、ということが想定されている。これをもとにした予測に従えば、医療システムに過剰な負担がかかることになる。

質問　予測を立てる際に、無症状の感染者と、症状のある患者、つまり病状が進んでいる者の区別はなされているのか？

2　危険性

色々な種類のコロナウイルスは――メディアでは全く伝えられないが――ずっと以前から我々の周りに存在している。仮に、COVID-19ウイルスが従来の同種のウイルスと比較してそれほど危険なものではない、ということが明らかにされるとしたら、現在取られているすべての措置が無駄であることは明白である。

国際的に認知されている専門誌"International Journal of Antimicrobial Agents"（近刊）に、まさにこの問題を扱った論文が発表される予定である。当論文の事前の調査結果はすでに閲覧することができ、そこでは結論として、新型コロナウイルスは危険性に関して、従来のコロナウイルスと何ら違いがない、と述べられている。論文の著者たちは、論文のタイトルを"SARS-CoV-2 Fear versus Data"（『SARS-CoV-2 恐怖心 vs. データ』）とすることで、この結論を表現したという。

質問 COVID-19の感染者と診断された患者による現在のＩＣＵへの負担は、他のコロナウイルス感染者に比較してどのような状況か？　そしてこれらのデータは連邦政府が取るべき今後の対策の決定過程において、どの程度考慮されているか？　さらに、右記の研究について、これまでの政府による計画策定において認知されていたか？　また、次のことを確認しておく必要がある。すなわち、罹患と診断されたということは、患者の病状に関して当該のウイルスが主な原因になっていることを意味するのであり、例えば既往症がより大きな原因だ、ということにはならない。

3　拡散

ズュートドイチェ新聞（Süddeutsche Zeitung）の記事によれば、しばしば引き合いに出されるロベルト・コッホ研究所でさえ、COVID-19の検査数について、よく把握していないという。しかし、ドイツでの検査数の増加に伴って感染者数が急激に増加したというのが事実である。つまり、ウイルスはすでに気づかない間に健康な市民の間に広がっていたことが、十分に考えられるということである。このことから2つの帰結が得られる。第1に、公式の死者数の割合——例えば2020年3月26日の時点でおよそ37、300人の感染者のうち、死亡者が206人、つまり0・55％であった——は、高すぎるということ。第2に、健康な市民への拡散を防ぐことはもはやほとんど不可能であるということ。

質問　ウイルスの実際の拡散を評価する目的で、健康な一般市民に対するサンプル調査はすでに行われたのか？　あるいは近いうちに行う計画はあるのか？

4　致死性

ドイツ国内の死亡率（現在は0・55％）の増加への不安が、現在メディアを通じて極めて強力に煽られている。多くの人々が、すぐにも適切な措置を取らなければ、イタリア（10％）やスペイン（7％）のような事態になりかねない、と心配している。

同時に世界中で、死亡した人の体内にウイルスが発見されただけで——他の要因を考慮することなく——直ちにウイルスによる死亡と報告する、という誤ったやり方がまかり通っている。これは感染症学の基本原則の一つに抵触するものだ。すなわち、あるエイジェント（因子）が発病および死亡の主な要因であることが確認されて初めて、診断が行われる、という原則だ。医学専門学会の研究部会による指針には、次のように明確に書かれている。「死亡原因のほかに、死因の関連連鎖についても提示し、さらに対応する基礎疾患は死亡証明書に明示しなければならない」

どれだけの数の死亡者が本当にこのウイルスが原因で亡くなったのかを確定するために、事後であっても、患者記録の批判的な分析が行われたのかどうかについて、目下のところ何ら公式の発表はない。

質問　COVID-19を死亡原因とする一般的な流れにドイツも単純に従うのか？　このような区分の仕方を今後とも他国同様に無批判に続けるつもりか？　であれば、どうやって真の、コロナが原因で死亡したケースと、死亡時に偶然コロナウイルスも見つかった、というケースを区別すればよいのか？

5 比較可能性

イタリアでの恐ろしげな光景がまるで今後の起こり得るシナリオであるかのように、繰り返し引き合いに出される。しかし、イタリアでこのウイルスがどれほどの威力を持っていたかについては、様々な理由から全く不明なままだ——上記の3と4が該当すること以外にも、この地域を特に感染しやすくしている、極端な外的要因が存在するのだ。

要因としては特に、北イタリア地域における空気汚染の酷さも挙げられる。WHOによれば、これが原因で、2006年には、イタリアの13の大都市だけでも、たとえウイルスが無くても、1年間に8、000人が死亡したという。その後、状況に大きな変化はない。最終的に、空気汚染が老若を問わず、ウイルスによる肺炎のリスクを極端に高めるということが証明された。

さらに、この国では、特にリスクの高い人々の27・4％が若い人々と一緒に暮らしており、スペインでは33・5％とさらに多い。ドイツは7％と、比較的少ない。

加えて、ベルリン工科大学保健システム・マネジメント部門の主任教授であるラインハルト・ブッセ教授によれば、ドイツは、イタリアに比べると集中治療設備がはるかに充実している。

質問　このような基本的な相違点を市民に周知させ、イタリアやスペインと同じことがドイツで発生すると想定することが、いかに非現実的なものであるかを、人々に理解させるために、どのような努力が払われているのか？

付記

データなどについて

本書で示した情報は、著者たちが知り得る範囲、また能力の範囲を超えるものではなく、内容の完全性を主張するものではない。事実関係は２０２０年5月までの知見に基づいている。特に記さない場合は、全てのデータはＲＫＩおよびジョンズ・ホプキンス大学 https://coronavirus.jhu.edu/us-map あるいは Worldmeter https://www.worldometers.info/coronavirus/. の公式データを用いている。

定義

死亡率（死亡者数）とは、感染者数に対する死亡者数の割合を意味する。

致死率とは、罹患者数に対する死亡者数の割合を意味する。

COVID-19の場合、多くの感染者の中で罹患した者が少ないので、上記の定義は正確ではない。感染症疫学（Infektionsepidemiologie）はこれまで、感染者の80％近くに症状がなく死亡者はあまりいない、というような病気を正当にも対象としてこなかったので、このような定義を適用することは困難なのである。

比較的適切な表現としては、例の厄介な《ケース致命率》（Case-fatality rate）を使用するべきだろう——ただしこの場合の《ケース》は、母数としての《SARS-CoV-2陽性者》と定義されるべきだ。判りやすさを期して、本文では主に、死亡者数および死亡率という言葉を用い、文献や報告から引用した場合は、そこで使われている用語をそのまま使った。この際指摘しておくが、本書ではCOVID-19の場合、死亡率とは感染者数に対する死亡者数の割合を意味する。本書で使用した概念が１００％正しいものだと主張するつもりはない。それはＲＫＩとて同じである。

監修者による補足

コロナ・プランデミックとオンデマンド感染症

大橋　眞

新型コロナウイルスが世界の人々の日常生活を一変させたのは、２０２０年春。毎年ほぼ同じような日常生活のサイクルがあり、決まった日には地域のイベントや全国レベルのイベントが行われてきた。このような何気ない日常生活であったが、今になって見ると、とてつもなく幸福な時代であったように思われる。

本書は、主にドイツで起こったコロナ騒動の実態が、かなり克明に描かれている。毎日のようにテレビが、感染者数や死亡者数の累計を出して、人々を怖がらせたことや、数十万人の死亡予測のもとにロックダウンを実行したことなど、同じ顔触れの専門家が、あちこちの番組に登場して警告を発するなど、日本の場合と極めてよく似ている場面が数多く登場する。遠く離れた国同士が、同じような仕組みで、コロナ騒動が推移していることは、偶然なのだろうか。

このように世界を駆け巡ったコロナ騒動とは、一体何なのか。これまで、全く経験しなかったような速さで、世界中にウイルスが蔓延した。その驚異的な速さで、感染拡大を続けるウイルスには、一体どのような秘密があるのか。重症の肺炎を引き起こすという恐ろしい一面があるが、ほとんどの人が感染しても無症状であり、しかも無症状の人が他の人に感染させるという謎のウイルス。多くの人々は、未知のウイルスに感染するのを恐れて、マスク姿での日常生活。恐ろしいウイルス感染を防ぐためとして、テレビはワクチンの宣伝に余念がない。

今回の騒動によって、ＰＣＲ検査という耳慣れない検査が、一躍有名になった。ＰＣＲ

検査は、遺伝子を増やす検査であるというレベルの解説がされるが、その問題点について、大手メディアが取り上げることはない。ＰＣＲ検査の特異度は99％と言われると、ウイルス検査で間違いのない診断が出来ると感じる人がほとんどであろう。ＰＣＲ検査の問題点は、人々が信じ込んでしまうところにある。何が問題なのかを理解するには、その原理から考える必要があろう。

一般的に、病原体ウイルスの病原性は、ウイルスの増殖速度と正の相関がある。また、他の人への伝播力も、ウイルスの増殖速度と深い関係にある。したがって、病原性と伝播力は、比例関係に近いはずである。ウイルスは細胞の中でしか増殖できないので、もし速い速度で増殖するウイルスならば、細胞へのダメージも大きくなり、症状が出る。同時に大量のウイルスが細胞外に出て、他の人への感染源になる。今回のように、無症状の人が大量のウイルスをまき散らしているとするなら、一体どこでウイルスが増殖するのだろうか。あっという間に世界中に蔓延するにも関わらず、東京の満員電車では、クラスター感染を起こさない。また、国会議員や官僚などは感染しないという謎のウイルスである。

今回のウイルスは、ＰＣＲ検査によって、初めてその存在が明らかになる。もしかして、ＰＣＲ検査が無ければ、存在すらわからないというレベルの大人しいウイルスではないのだろうか。いわゆる常在ウイルスである。一般的には、すべての生物にはウイルスが存在する。その多くが、特に病害性をもたないので、お互いに共生関係にある。多様な生物、微生物やウイルスが共存することにより、安定した生命系が保たれるのである。どこに、どのくらいの常在ウイルスがいるのかについての研究は、ほとんどされてこなかった。増殖速度の遅いウイルスは、培養も難しく、何の役に立つのかもわからないウイルスは、研究対象にならなかったのだ。

今回の新型コロナウイルスは、ＲＮＡをゲノムとしており、約30 kbの全塩基配列が、中国のグループにより、決定されている。重症の肺炎患者の肺の抽出液から、ウイルスをクローン化しないまま、次世代シークエンスを使って直接配列を決定したとされている。しかし、このゲノムを持ったウイルスがクローン化により、純化されたという報告はない。したがって、このゲノムを持ったウイルスが、本当に実存するのかについては不明である。また、このウイルスが武漢での重症肺炎を引き起こす犯人であるのか、あるいは感染していても無症状のまま、ウイルスをまき散らし、他の人に感染させるという、前代未聞の能力をもったウイルスなのかという実証実験はなされていない。動物への感染実験においても、病変部位から同じウイルスが核酸の塩基配列レベルで確認されたという報告はない。

このように、新型コロナウイルスは、コッホの4原則を満たさないばかりか、コッホの4原則の1項である、一定の病気に一定の病原体が存在するという確認も十分ではないのだ。

このような謎のゲノム遺伝子との同一性を調べる目的で、PCR検査が行われている。しかし、PCR検査で増やしているのは、わずか100塩基ほどの長さの遺伝子であり、これは、ゲノム全体のおよそ300分の1に相当する。それ以外の領域の遺伝子は、全く見ていない。すなわち、全体の300分の1の領域についてみると、99%の特異性があるが、それ以外の300分の299の領域については、何の情報もないということになる。全体の300分の1が同じだからと言って、全体が同じとは言えないはずである。

それにも関わらず、PCR検査は、武漢発の新型コロナウイルスの遺伝子を検出していると確信的に思う専門家が多い。これは一体どうしたことだろうか。

この原因として、今回のウイルスは、これまで地球上に存在しなかった新しいウイルスであり、このウイルスの断片でも見つかれば、武漢発の新型コロナウイルスに違いがないという思い込みになるのかもしれない。これまでのウイルスの常識とあまりにかけ離れた性質を持っているというマスコミの情報に曝されると、PCRという近代兵器で、新型コロナ遺伝子の断片を見つけることが、臨床検査として有用であるという認識が、専門家だけでなく、政治家や一般の人々にも広がっているようだ。しかし、これまでは、症状を起こさないウイルスの調査は、ほとんどされてこなかった。医学的に、重要度が低いためである。今回のPCRキットで増幅されるようなウイルスが、これまで日本を含む世界各地にいなかったということは言えない。だれも、調査していないから証拠がないというだけである。本来は、今回のPCR検査を広げる前に基礎調査をするべきだった。しかし、そのような時間的なゆとりがなかった。だから、全体の300分の1が、武漢発の新型コロナウイルスと一致するからという理由で、このウイルスが中国からやってきたとは、言い切れない。せめて、残りの300分の299の情報が必要である。

しかし、冷静になって考えてみると、今回のウイルスの特徴である、無症状の人が他の人への感染源になるという話も、PCRによって作られたのである。あっという間に世界を駆け巡ったというのも、PCRでしか確認できない現象である。ウイルスの動きを見ているわけではない。それぞれの地域間のウイルスの同一性も確認されていない。つまり、武漢発のウイルスが、世界中をあっという間に駆け巡ったという事実は、証明できていないのだ。今回の騒動は、すべてPCRによって作られたと言っても過言でない。

このように、PCR検査の問題点を指摘すると、PCR検査を徹底的にやるべきだと主張する人々から、PCR検査をやらないと感染拡大して取り返しがつかなくなるという批判が出てくる。しかし、この批判に関しては、PCR検査の第二の問題点を指摘する必要がある。それは、プライマー結合部位における遺伝子変異の問題だ。PCR検査において、プライマーという短い遺伝子を2本用いて、遺伝子の増幅反応をおこなう。プライマーの1本は、遺伝子と同じ配列、もう一方は遺伝子と結合する配列（相補的配列）である。この2本のプライマーは、１本当たり20塩基ほどの長さなので、２本で40塩基ほどの長さになる。遺伝子のコドンは、３つの塩基で構成され、塩基はＧＡＴＣの４種類があるので、64通りのコドンが存在する。これで20種のアミノ酸を決定するので、１アミノ酸あたり３種のコドンが存在する。プライマーの結合部位は、合わせて40塩基ほどの長さなので、13アミノ酸をコードすると考えると、３の13乗＝１５０万通りのコドンが存在しうる。つまり、プライマー結合部位のアミノ酸配列に影響を及ぼさない遺伝子変異（同義的置換）の可能性は、１５０万通りもある。プライマーの結合が厳密に行われる条件（99％の特異性）において、認識できるプライマーは１組しか存在しない。すなわち、残りの１５０万通りの遺伝子配列では、アミノ酸配列がまったく同じであっても、ＰＣＲでは遺伝子増幅が起こらないことになる。ウイルスの性質を全く変えない同義的変異は、遺伝子変異の大部分を占めており、ＲＮＡウイルスは、遺伝子変異が多いことで知られている。そのために、プライマー結合部位にも、遺伝子変異は、容赦なく起こり得るのだ。１５０万種類の変異体は、ＰＣＲ検査では検出できないので、１５０万種の内の１つだけをＰＣＲ検査の対象としていることになる。例えて言うと、ザルを使って、バケツから水を汲もうとするようなものである。同義置換の変異体は、PCR検査では検出することが出来ないのだ。そのために、PCR検査の拡充が、感染拡大の防止策になるという考え方には、科学的な意味はない。結局のところ、膨大なお金を使って、PCRを使って検査をしても、なにもわからないのである。このようにPCR検査は、変異の多いRNAウイルスの存在を調べる臨床検査としての意味は全くないと言えよう。インフルやHIVも同様である。これらはすべて、PCR検査でウイルスを検出することには、向いていないのである。

キャリー・マリスの「PCR検査は、感染症の診断に使うな」という伝説の言葉は、やはり正論なのだ。HIVのウイルス数をPCRで測定することは不可能である。また、HIVの病原性も本当にはわからない。もし、彼が生きていてくれたら、今回の騒動はなかっただろう。いつの間にか、300分の1の同一性が、全体の同一性を証明するものであり、150万分の1の変異体だけを調べるPCR検査が、危ない病原体(?)を検査するのに適切であると考えるのが常識になってしまった。確かにPCRは、素晴らしい発明であり、これによって、医学、分子生物学、遺伝子工学は、大きな発展を遂げた。しかし、いかに素晴らしい発明であっても、これを悪用する人間が出てくると、大惨事が起こるという歴史を刻んでいるのが、ノーベル賞であると言えるのではないだろうか。

本書においても、ＰＣＲ検査では一定の割合で陽性者が出ることから、検査数の操作による感染拡大が、政治的な判断により行われているという指摘がある。まさにオンデマンド感染症というような、感染症の歴史に新しい項目が付け加えられる時を迎えているのだろうか。これまでは健常者がマスクをすることは、怪しい人であるという印象を与えていた。しかし、今では、マスクをしない人を怪しい人と思うようになった。これまでの常識が逆転したのであろうか。マスクは、感染防止としての役割よりも、このようなオンデマンド感染症の時代を生きる人類の象徴だろうか。

このような時代において、科学的な考え方を、子供たちにどのように伝えていくべきなのか。やはり基本に立ち返って、感染とは何か、というようなことを、考える機会が必要であろう。コッホの４原則は、そのようなときに、考え方の指標となるものだ。病原体というものをきちっと確認することが、基本にあって、初めて感染症の定義が出来る。病原体が、対外から新たに体内に侵入して、増殖することにより、症状を表すのが感染症のはずである。病原体の確認も出来ない、体内への侵入もわからない、増殖も定かでない、症状もない、ただＰＣＲ陽性というだけで、感染症と言えるのか。しかも、ＰＣＲは、３００分の１が、中国の論文と同じというだけであり、その中国論文の遺伝子も、病原性もわからない、その実在もわからない。まさに、ミステリーである。科学とは程遠いところで、騒動が起こっているのだ。その渦中に置かれた子供たちに、本当の科学を教えることによって、何らかの解決策が見えてくるような気がする。感染症を科学の素材にすることによって、この騒動を見直すきっかけができるだろう。

このようなことを考えていくと、今回問題にしているウイルスが、中国武漢で新しく発生したという証拠はどこにもないことがわかる。あの武漢で起こったとされる重症肺炎の人が路上で次々と倒れるとか、病院において医療崩壊が起こり、病室に収容しきれない重症者が大部屋に寝かされている様子などを見せられて、これは今までにない大変な感染症が発生したという危機感を、世界の人々が持った。やがて、武漢の病院に入院した一人の重症肺炎の患者から、コロナウイルスのゲノム遺伝子構造（SARS-COV-2）が決定され、ＷＨＯによりSARS-COV-2による感染症に対して、COVID-19という病名が命名された。日本では、このウイルスを新型コロナウイルスという名称で呼ぶことになった。しかし、このウイルスが元々世界の他の地域で存在しなかったということを、だれも証明したことはないという事実に注目する必要があろう。正確には、ＰＣＲに反応するウイルスというべきかもしれない。もともと存在していたウイルスであるとすれば、あっという間に世界中に広まったという不思議さの謎がとける。今まで、注目されていなかっただけで、ＰＣＲを使うようになってこのウイルスが見つかったのに過ぎないのだ。新しく中国からやってきたのではなく、ＰＣＲという道具を使ってあたらしく発見したということではないだろうか。大した病原性もないために、注目されることもなく、密かに人間と共生関係にあったウイルスなのだ。あっという間に広がるほどに感染力の強いウイルスであるという仮説に基づいて、無症状の人が知らず知らずのうちにウイルスをまき散らしてしまうから健常者もすべてマスクが必要とか、あるいは子供の方が感染源になりやすいという理由で、子供にもマスクをさせるという奇妙な習慣が出来てしまった。

仮説は、実証実験をすることによって科学的証明になる。実証実験は、本当に健常者がウイルスをまき散らしているか、子供がウイルスをまき散らしているかなどを確かめるために、実際にウイルス量を測定するという実験などが考えられる。しかし、一体だれがこのような実証実験をしただろうか。ＰＣＲ検査によってあちこちで陽性者が出たことや、あっという間に世界に広がったというＰＣＲ検査結果により、恐ろしく感染力の強いウイルスであるという仮説が作られた。中国からドイツにビジネスで訪問した人と会議を共にした人が、それぞれ後日に発症し、ＰＣＲ検査の結果陽性になったことから、無症状の人が感染源になるという仮説がつくられた。しかし誰も、ウイルスを測定して無症状の人がウイルスをまき散らしているという実験結果を出した人はいない。仮説に過ぎない無症状者が感染源になるという話を、科学的根拠がすでに証明されたものと誤解している人があまりに多いのである。仮説は、実証実験をしないと科学的証明にならない。

今回問題となっているウイルスが、もともと世界各地にいたものであるのなら、マスクやソーシャルディスタンスなどは、全くナンセンスであるのは自明である。ワクチンなど論外である。これまで、何の問題もなく生活をしてきたのだから、急に生活スタイルを変えなければならないという理由はどこにもないことになる。今回問題となっているウイルスが中国で新しく発生したのか、それとも、もともと地域にあったものなのかを明らかにすることはそれほどに重要なことなのだ。今問題にしているPCRで検出しているウイルスが、もともといたものなのか、それとも中国からやってきたものかを同定しない限り、感染者として隔離することは、人権上も許されないはずである。PCRによる300分の1の同一性で中国からやってきた新しいウイルスを保有していると断定できるはずがない。少なくとも残りの300分の299の同定をする必要があるのだ。この検査は、国が責任をもって行う必要があろう。

RNAウイルスは遺伝子変異の速度が速いことが知られている。遺伝子変異の現状を把握することは、病原性の変化や、ワクチンに対する有効性、そしてPCR検査において、検出できない変異体の出現など、感染症の対策に不可欠のはずである。変異の多いＲＮＡウイルスが、どれくらいの速度で変異するのかとか、どのような変異体がどの地域に遍在するかなどの分析により、対策にも大きな違いが生じるはずである。つまり、遺伝子変異が進めば、ＰＣＲ検査自体が成立しない状況になる。そのために、３００分の２９９の遺伝子情報を収集しないままに、ＰＣＲ検査をそのまま続ければ、時間の経過とともにＰＣＲ検査自体に意味がなくなるのである。プライマー部分が結合しなければ、ＰＣＲで検出できない変異体を見逃すからだ。もうすでに、ＰＣＲ検査で見逃している変異体が多数存在している可能性が高い。そのために、ＰＣＲ検査を漫然と続けることは、感染拡大を防ぐという意味でも、意味がないのである。つまり、ＲＮＡウイルスのＰＣＲ検査は、賞味期限があるのだ。消費期限と言ったほうが良いかもしれない。知らずにそれを使ってしまうと、検査漏れという事故が起こる。そのためにも、３００分の２９９の情報を得てモニターを継続的におこなう必要がある。

本書にもあるように、今回の騒動は、如何にして人々に恐怖心を与えるかということを目的として、始まった。これが、コロナ・プランデミックの真相である。その結果として、人々に冷静さを失わせることになったのではないだろうか。マスク社会は、なぜ作られたのか。そして、このマスク社会は、どこへ向かおうとしているのか。世の中がおかしな方向に向かっているという気づきの輪を広げるには、どうすれば良いのか。その答えは、恐怖心をどうやって取り除くかということに行きつくだろう。この恐怖心を取り除くためには、真実を知ることが必要である。本書は、ドイツで何が起こったのか、そしてこれから、何が起ころうとしているのか、日本を含めた市民の世界ネットワークをどのようにして構築していくのかなど、多くのヒントが隠されている。本書を一人でも多くの人が手に取ることによって、コロナ騒動が終息に向かい、分断された人々の繋がりを取り戻すきっかけになれば、幸いである。

訳者あとがき

２０１９年末に発生した「新型コロナウイルス」は、それから既に1年近くが過ぎようとしている今も、世界中の人々の不安と恐怖の元となっている。メディア空間に飛び交う情報が未だ信頼に足るものではなく、霧に覆われた頭の中が、かえって混乱を増す中で、本書『コロナパンデミックは、本当か？――コロナ騒動の真相を探る』は、ウイルスと感染症に関する専門的立場から、科学的事実に基づいて、この現象の真相を解き明かしてくれるものと確信する。その意味で、多くの人々が待ち望んでいた、まさに絶好の書物だと言える。

本書の著者スチャリット・バクディ氏は、疫学、感染症学の研究者として多くの重要な業績を残し、ドイツのみでなく世界の研究者から広く尊敬されている第一級の科学者である。ドイツでロックダウンという厳しい措置が決定されて以来、政府による一連の措置に強く反対する声を挙げ、他の多くの科学者とともに、科学的知見に基づいた冷静な主張と議論を展開し続けた。主要メディアが無視を続ける一方で、充実した内容を誇るドイツのオルタナティブメディアに頻繁に出演するようになり、市民に広く知れ渡るようになった。多くの人々が氏の科学者としての真摯な態度に共感を覚え、勇気を与えられたことだろう。権力によるどのような誹謗中傷、どのような排斥行為にも怯むことなく、科学者としての良心に忠実に発言し行動していることは、氏が、その妻であり本書の共著者でもあるカリーナ・ライス夫人とともに、人格においても第一級の人物であることを物語っている。本書（*Corona Fehlalarm? Zahlen, Daten und Hintergründe*（『コロナ・誤報？　数字、データ、背景』））が上梓されたのは2020年6月中旬。ドイツ語版に続いてまもなく出版された英語版では、新たに「免疫システムとワクチンの問題」を取り上げた章が追加された。本書の訳出に際しては、オリジナルのドイツ語版を基本としながらも、加筆された部分はもとより、その他の章についても必要に応じて英語版も参照した。本書は、「新型コロナ」にまつわる多くの科学的な疑問について、明解な答えを出している。そして、このコロナ騒ぎについて、「何か変だな……」と思いつつも、未だに釈然とした理解を得ることのできない人々に、一貫した論理の流れを示してくれている。

ドイツで現在進行中の動きについて二つの事を記しておこう。

一つは、8月以来、ベルリンをはじめ多くの都市で繰り広げられている大規模な反ロックダウンデモのことだ。政府の措置に納得せず異議を申し立て、自らを「異論を持つ者たち」(Querdenker) と呼ぶ多くのジャーナリスト、医師、弁護士、一般市民による非暴力的で平和的なデモだ。ヨーロッパのみでなく、英国、アメリカ、カナダなどでも同様のデモや運動が起こっている。特に印象的だったのは、8月29日、全国からおよそ百万人が集まったという第二回ベルリンデモだ。ステージに立ったスピーカーの多くが手に持ったバクディ&ライスによるこの本を高く掲げながらデモに参加した聴衆に語りかけていた。本書が反ロックダウン運動のいわばバイブル的役割を担っていると思わせるシーンであった。スピーカーの一人、ロバート・ケネディ・ジュニアのことばが耳に残っている。「かつて私の叔父（ＪＦＫ）が、ここベルリンで、冷戦の象徴であったベルリンの壁を背にして言いました。“Ich bin ein Berliner!”（私はベルリン市民だ！）。そして今日、私も叔父と同じ言葉を言います。“Ich bin ein Berliner!”（私はベルリン市民だ！）」。《冷戦》と《コロナ》がともにもたらしたものは、平和と融和を破壊する、分断だ。巨大な権力による市民社会の分断。叔父のＪＦＫが冷戦の《嘘》を暴こうとしたように、コロナの《嘘》を暴くことによって、ロバート・ケネディ・ジュニアは人々の分断を止め、融和を取り戻そう、と訴えたのだ。この運動は今も盛り上がりを増しており、「コロナ危機」と政府による理不尽な対抗措置は、覚醒した市民の大規模な反対デモだけでなく、ついに新たな政党の誕生をも促す結果となった。「Wir 2020」（われわれ２０２０）がそれだ。政府のやり方に当初から反対の声を上げていた医師、ジャーナリスト、市民たちによる純粋な市民政党として、ロックダウンをはじめとしたコロナ関連のすべての措置の即刻中止と徹底的な検証、そして保健・医療制度の抜本的な見直しを求めており、今後の市民生活の正常化への運動の中心的な存在になると思われる。

もう一つ、4人の弁護士が7月に立ち上げた「コロナ検証委員会」の動きに国際的な注目が集まっている。彼らは、米国法などのクラスアクション（class action）、すなわち、一人または数人の代表者が政府や企業を相手に起こす集団代表訴訟を準備しており、今回のコロナ騒動の関係者（彼らの言葉では、首謀者たちで、具体的にはWHOのテドロス氏、RKI（ロベルト・コッホ研究所）のヴィーラー氏、ベルリン大学シャリテーのドロステン氏ら）を相手取り、自ら被害者だと思う者なら、世界中の誰でも原告として訴訟に参加できるというものだ。理論的な可能性として総額数百兆円という巨額の賠償請求が見込まれる訴訟と見做されており、受理されれば、マスコミも無視するわけには行かず、世界の関心を集めることは必至であり、何よりもこの問題の深刻さについて人々の覚醒を促すことになるだろう。本書が読者の手元に届く頃には、一定の方向性が示されているはずだ。

日本では、あからさまなロックダウン措置がとられなかったということもあってか、大規模なデモも集団訴訟の動きも、今のところはまだ見られないが、徐々に動き始めているようだ。

コロナの問題が人々の頭と心を支配し始めた頃、カミュの『ペスト』がベストセラーとなり、多くの人々が初読、再読したという。過去における多くの偉大な作家たちと同様に、カミュの作品は常に、死と、死に平静に向き合う人間をテーマとしている。災厄の中で何かを求めるとき、人々がこの物語に何かを求めようとするのは、ごく自然なことだ。コロナはペストかもしれない、と多くの人々がその連想の恐ろしさに身震いしたからだろう。ただ、ふと思うのは、『ペスト』を読む人のなかで、ペストを単にコロナのメタファーとしてではなく、それ以上の何か、あるいはコロナの背後にあるもののメタファーとして捉えた、あるいは捉えようとした人がどれだけいただろうか、ということだ。疫病そのものは災厄に違いない。しかし、それを生み出した現代の世界システムの方が、ウイルスそのものよりも一層深刻な危険性を孕むものではないだろうか。戦うべき相手は、本来共生可能なものであるはずのウイルスの一種に過ぎないコロナという自然の災厄ではなく、むしろ矛盾と不条理を宿痾として抱えるこの世界のあり様であり、正していくべき対象であるはずだ。そう気づいた人たちは、コロナの影で見え隠れする、コロナ鎮圧とは別の目的を持って「コロナ危機」を煽る者たちの影を見逃しはしない。『ペスト』を今再び手に取って、そのことに思い至った次第だ。

ところで、「我々のいうことだけを信じてください。その他の意見に耳を貸してはいけません」（メルケル首相）という言葉で、国民の頭と心を呪縛した上で、異論に耳を傾けるどころか、それを抑圧し排除する政府が発する情報に、どれほどの信頼性があるというのか。市民を洗脳する技術に磨きがかかってはいても、自分の頭で考えようとする人々を説得する力はない。

『ペスト』の中の登場人物の一人タルーの次の言葉が印象的だ。

「……僕が言っているのは、この地上には天災と犠牲者というものがあるということ、そうして、できうる限り天災に与することを拒否しなければならぬということだ。これは君にはあるいは少々単純な考えのように思われるかもしれないが、果たして単純な考えかどうか、とにかく僕は、これが真実であることを知っている。僕はずいぶんいろんな議論を聞かされたもので、それが危うく僕の頭を狂わせかけたこともあれば、他の連中の頭は結構狂わせられて、殺人に同意させられてしまっているくらいだし、おかげで、人間のあらゆる不幸は、彼らが明瞭な言葉を話さないところから来るのだということを、僕は悟った。そこで僕は、間違いのない道をとるように、明瞭に話し、明瞭に行動することにきめた。」

（A・カミュ、『ペスト』、宮崎嶺雄　訳）

本書の著者バクディ氏とライス氏は、（特にバクディ氏の妻カリーナ・ライス夫人は）「コロナ騒動による不安と恐怖心、幼い子供の現在と将来への心配で、心の平衡を失ってしまいそうになりました。それが、私たちがこの本を書いた動機です」と、あるインタビューで語っている。二人の「不安と恐怖心」はしかし、単なるコロナウイルスへのそれではない。政府の速記係・広報機関である主要マスメディアが垂れ流す誤った情報、科学的事実の歪曲が、このまま市民の中に定着すること、それに基づいて続けられる理不尽で横暴な制限措置、世界を破滅に導きかねない社会的影響、これらのことに想いを馳せた時に襲って来る、言い知れぬ「不安と恐怖心」に打ち勝つために、事実と正面から向き合い、科学者としての責務を果たそうという決意が、二人を本書執筆に駆り立てた。「科学の法則は嘘をつかない」という信念を曲げるわけにはいかないのだ。

バクディ氏、ライス氏、そして著者たちと意見をともにする監修者の大橋氏をこのような言論活動へと突き動かすものは、本来、科学者であれば誰もが持つべき責任感と矜持はもとより、タルーと同じく、「間違いのない道をとるように、明瞭に話し、明瞭に行動することにきめた」人間としての良心、そして、コロナそのものではなく、それを「ペスト」に仕立て上げた背後の力、資本主義の矛盾と不条理という悪疫との戦いへの堅い意志だと言える。そしてその戦いは、コロナ騒動の真相を解き明かすことによって、身近な命の大切さに目を奪われるあまり、より多くの命の喪失をもたらしかねないより大きなものの真実に対して無関心に陥り、結果として大きな力に抗えず、ただ服従する以外に術がない多くの「善良な」市民たちに、覚醒を促すことから始まる。ひとりひとりの覚醒は、それぞれ小さな一歩に過ぎない。しかし、それは大きなうねりに成長する第一歩だと確信する。

カミュは、彼が生きた二十世紀を「恐怖の世紀」と名付けた。それが二一世紀という時代にますます当てはまることを、我々は今、実感しながら生きている。恐怖と不安をいかに乗り越えるか、いかにそれらから自らを解放するか。これは、人間らしく生きるためには、どうしても避けて通ることのできない課題だ。本書が示してくれた、科学的真実と人間としての価値への誠実さ、真摯さは、知識と技術の限界を謙虚に受け入れ、倫理的精神に目覚め、それを自らの生きる道標（みちしるべ）と考えるすべての人々に、一つの確固とした土台を与えてくれる。

最後になるが、「監修者による補足」としてＰＣＲ検査の問題点について詳述され、また監修者として、専門用語の訳語について貴重な助言をくださり、本文全体の内容についても監修を引き受けてしてくださった大橋眞氏に深く感謝したい。氏は3月以来、10月まで毎日欠かすことなく、そして現在は週1回のペースで、ご自身のYouTube番組で、また各地での講演活動を通じて、この「コロナパンデミック騒動」の問題点について、科学者の立場から一般市民の啓発に力を注いでおられる。氏の誠実で勇気ある行動に深い敬意を表しつつ、本書のためのご協力に厚く感謝申し上げます。

訳　者

追記

10月末、ヨーロッパでは、再びロックダウン措置が決定された。感染の広がりが理由である。重症者数や死亡者数が増加していないことは、報じられない。

ドイツにおける今回の新たなロックダウン措置について、著者のS・バクディ氏に所感を求めたところ、次のような返答をいただいたので、ここに付記させていただく。

「ドイツ政府による2回目のロックダウンは間違った措置であり、人命を軽んじるものだ。WHOの月報10月号に掲載された、世界的に著名な疫学者であるスタンフォード大学J・イオアニディス教授による最新の研究(Bulletin of the World Health Organization; Type: Research Article ID: BLT.20.265892: "Infection fatality rate of COVID-19"(COVID-19の感染者死亡率))は、世界の広範なデータの分析に基づいて、今回のコロナによる死亡率が当初の予測よりも相当低いことが判明し、従って今回のコロナウイルスは、通常のインフルエンザと何ら変わらないものであって、キラーウイルスなどではない、と結論づけている。これは、我々が本書において主張していることの正当性を裏付けるものである。したがって我々は、人権を侵害する全ての制限措置を即時中止撤廃することを、あらためて求めるものである」

訳者

《免責条項》

本書の著者たちは、本書で使用した全ての出典について、誠心誠意検証したうえで採用しました。それにもかかわらず、ここに挙げた事項あるいは結論が全て正しいものだという保証はありません。したがって発行元ならびに著者たちは、あらゆる法的およびその他の訴えあるいは要請による賠償責任を取ることを拒否いたします。

参考文献・資料

(1) https://www.who.int/emergencies/diseases/novel-coronavirus-2019/situation-reports
(2) https://www.ncbi.nlm.nih.gov/pubmed/32081636
(3) https://www.sciencedirect.com/science/article/pii/S1743919120301977?via%3Dihub
(4) https://www.sciencedirect.com/science/article/pii/S0966842X16000718
(5) https://www.nature.com/articles/s41579-018-0118-9
(6) https://www.sciencedirect.com/science/article/pii/S0924857920300972
(7) https://www.ncbi.nlm.nih.gov/pubmed/23977429
(8) https://www.nhs.uk/conditions/sars/
(9) https://www.who.int/emergencies/mers-cov/en/
(10) https://www.tagesspiegel.de/wissen/drohen-in-deutschland-italienische-verhaeltnisse-coronavirus-laesst-in-italien-aerzte-verzweifeln-entscheidungen-wie-in-kriegszeiten/25632790.html
(11) https://www.awmf.org/uploads/tx_szleitlinien/054-002l_S1_Regeln-zur-
(12) https://www.eurosurveillance.org/content/10.2807/1560-7917.ES.2020.25.3.2000045
(13) https://www.n-tv.de/panorama/Corona-Tests-werden-Geheimwaffe-article21678629.html

(14) https://twitter.com/c_drosten/status/1249800091164192771
(15) https://www.handelsblatt.com/dpa/konjunktur/wirtschaft-handel-und-finanzen-covid-test-an-papaya-who-weist-kritik-von-tansanias-praesident-zurueck/25811710.html?ticket=ST-4584091-GTbNWIUBCWZf7Z7Ds4SK-ap6
(16) https://www.ncbi.nlm.nih.gov/pubmed/32219885
(17) https://www.n-tv.de/panorama/Corona-Tests-werden-Geheimwaffe-article21678629.html
(18) https://safetyatsea.net/news/2020/police-intervenes-on-quarantined-mein-schiff-3-2/
(19) https://www.aerzteblatt.de/nachrichten/112809/Wenig-Infektionen-beim-Charite-Personal
(20) https://www.eurosurveillance.org/content/10.2807/1560-7917.ES.2020.25.3.2000045
(21) https://onlinelibrary.wiley.com/doi/full/10.1111/eci.13222
(22) https://www.tagesschau.de/investigativ/corona-tests-rki-101.html
(23) https://www.tagesspiegel.de/wissen/zwischenergebnis-zur-coronavirus-uebertragung-das-sind-die-ersten-lehren-der-heinsberg-studie/25730138.html
(24) https://www.focus.de/gesundheit/news/hoffe-dass-wir-daraus-nur-wenig-ueber-corona-lernen-statistikerin-zerlegt-heinsberg-studie-keine-transparenz-kein-wissenschaftlicher-standard_id_11881853.html
(25) https://www.medrxiv.org/content/10.1101/2020.05.04.20090076v1
(26) https://www.bmj.com/content/369/bmj.m1375
(27) https://www.niid.go.jp/niid/en/2019-ncov-e/9407-covid-dp-fe-01.html
(28) https://www.eurosurveillance.org/content/10.2807/1560-7917.ES.2020.25.10.2000180
(29) https://edition.cnn.com/2020/04/01/europe/iceland-testing-coronavirus-intl

(30) https://www.spiegel.de/wissenschaft/coronavirus-erster-todesfall-in-schleswig-holstein-a-6db5f0b0-b662-45b0-bdb4-603684d4dc92
(31) https://www.morgenpost.de/vermischtes/article228994571/Rechtsmediziner-Alle-Corona-Toten-hatten-Vorerkrankungen.html
(32) https://www.acpjournals.org/doi/10.7326/M20-2003
(33) https://www.dw.com/de/coronavirus-was-die-toten-%C3%BCber-COVID-19-verraten/a-53287713
(34) https://www.epicentro.iss.it/coronavirus/sars-cov-2-decessi-italia
(35) https://www.bloomberg.com/news/articles/2020-03-18/99-of-those-who-died-from-virus-had-other-illness-italy-says
(36) https://www.telegraph.co.uk/global-health/science-and-disease/have-many-coronavirus-patients-died-italy/
(37) https://www.nbcnews.com/news/world/official-coronavirus-death-tolls-are-only-estimate-problem-n1183756
(38) https://www.tagesanzeiger.ch/warum-belgien-die-hoechste-todesrate-weltweit-hat-825753123788
(39) https://doi.org/10.1101/2020.04.05.20054361
(40) https://grippeweb.rki.de/
(41) https://www.who.int/docs/default-source/coronaviruse/situation-reports/20200306-sitrep-46-covid-19.pdf?sfvrsn=96b04adf_4
(42) https://www.rki.de/SharedDocs/FAQ/Influenza/FAQ_Liste.html
(43) https://www.aerztezeitung.de/Medizin/30000-Tote-die-kanns-auch-bei-saisonaler-Grippe-geben-371174.html
(44) https://www.aerzteblatt.de/nachrichten/106375/Grippewelle-war-toedlichste-in-30-Jahren
(45) https://www.augsburger-allgemeine.de/wissenschaft/Gesundheitsministerin-erklaert-Grippewelle-2018-in-Bayern-fuer-

beendet-id42750551.html
(46) https://www.who.int/mediacentre/news/statements/2017/flu/en/
(47) https://de.euronews.com/2020/05/05/coronavirus-in-deutschland-sterberate-steigt-rki-erwartet-zweite-welle
(48) https://www.medrxiv.org/content/10.1101/2020.05.02.20088898v1
(49) https://www.medrxiv.org/content/10.1101/2020.04.26.20079822v2
(50) https://www.medrxiv.org/content/10.1101/2020.04.27.20082289v1
(51) https://www.businessinsider.com/coronavirus-test-200-chelsea-massachusetts-finds-32-percent-exposed-2020-4?r=DE&IR=T
(52) https://www.boston.gov/news/results-released-antibody-and-covid-19-testing-boston-residents
(53) https://www.isciii.es/Noticias/Noticias/Paginas/Noticias/PrimerosDatosEstudioENECOVID19.aspx
(54) https://www.medrxiv.org/content/10.1101/2020.04.26.20079244v1
(55) https://www.medrxiv.org/content/10.1101/2020.04.14.20062463v2
(56) https://academic.oup.com/cid/article/doi/10.1093/cid/ciaa849/5862661
(57) https://www.medrxiv.org/content/10.1101/2020.05.08.20095059v2
(58) https://pressroom.usc.edu/preliminary-results-of-usc-la-county-covid-19-study-released/
(59) https://www.mdpi.com/2079-7737/9/5/97
(60) https://www.medrxiv.org/content/10.1101/2020.04.29.20083485v1
(61) https://www.medrxiv.org/content/10.1101/2020.04.20.20072892v2
(62) https://www.thelancet.com/journals/laninf/article/PIIS1473-3099(20)30243-7/fulltext

(63) https://www.medrxiv.org/content/10.1101/2020.02.12.20022434v2
(64) https://www.eurosurveillance.org/content/10.2807/1560-7917.ES.2020.25.12.2000256
(65) https://www.lungenaerzte-im-netz.de/krankheiten/grippe/komplikationen/
(66) https://www.donaukurier.de/nachrichten/panorama/103-jaehrige-Italienerin-erholt-sich-von-Covid-19;art154670,4548023
(67) https://www.gmx.net/magazine/panorama/113-jaehrige-spanierin-ueberlebt-coronavirus-infektion-34698438
(68) https://www.rki.de/DE/Content/InfAZ/N/Neuartiges_Coronavirus/Steckbrief.html
(69) https://info.gesundheitsministerium.at/dashboard_GenTod.html
(70) https://www.england.nhs.uk/statistics/statistical-work-areas/covid-19-daily-deaths/
(71) https://www.cmaj.ca/content/cmaj/158/10/1317.full.pdf
x (72) https://www.cancer.org/latest-news/understanding-cancer-death-rates.html
x (73) https://www.cebm.net/covid-19/why-no-one-can-ever-recover-from-covid-19-in-england-a-statistical-anomaly/
82 (74) https://www.krefeld.de/de/inhalt/corona-aktuelle-meldungen/
83 (75) https://www.nejm.org/doi/full/10.1056/NEJMc2011400?url_ver=Z39.88-2003&rfr_id=ori%3Arid%3Acrossref.org&rfr_dat=cr_pub++0pubmed
(84) (76) https://academic.oup.com/ije/article-abstract/7/3/231/755276
(85) (77) https://www.sciencedirect.com/science/article/pii/S1570963911001968?via%3Dihub
(86) (78) https://onlinelibrary.wiley.com/doi/full/10.1002/path.4461
(87) (79) https://www.nejm.org/doi/full/10.1056/NEJMc2001468?url_ver=Z39.882003&rfr_id=ori:rid:crossref.org&rfr_

dat=cr_pub%20%20Opubmed
(88) https://www.sciencemag.org/news/2020/02/paper-non-symptomatic-patient-transmitting-coronavirus-wrong
(39) https://www.thelancet.com/journals/lanchi/article/PIIS2352-4642(20) 30095-X/fulltext

Situation in Italy Spain, England and the USA

(90) https://www.fr.de/panorama/coronavirus-SARS-CoV-2-sterberate-italien-deutlich-hoeher-rest-welt-zr-13604897.html
(91) https://www.ilsole24ore.com/art/coronavirus-contagiati-realiin-italia-sono-almeno-100mila-ADnzowD?refresh_ce=1
(92) https://www.thetimes.co.uk/article/coronavirus-record-weeklydeath-toll-as-fearful-patients-avoid-hospitals-bm73s2tw3
(93) https://www.telegraph.co.uk/global-health/science-and-disease/two-new-waves-deaths-break-nhs-new-analysis-warns/
(94) https://www.nytimes.com/2018/01/03/world/europe/uk-national-health-service.html
(95) https://www.theguardian.com/politics/2018/may/21/health-services-overloaded-despite-support-pledges-claims-report
(96) https://www.theguardian.com/society/2019/nov/24/nhs-winter-crisis-thousands-eu-staff-quit
(97) https://time.com/5107984/hospitals-handling-burden-flupatients/
(98) https://www.statnews.com/2018/01/15/flu-hospital-pandemics/
(99) https://off-guardian.org/2020/04/02/coronavirus-fact-check-1-flu-doesnt-overwhelm-our-hospitals/
(100) https://www.elmundo.es/ciencia/2017/01/12/58767cb4268e3e1f448b459a.html

(101) https://www.huffingtonpost.es/2017/01/13/gripe-colapsohospitales_n_14135402.html

(102) https://milano.corriere.it/notizie/cronaca/18_gennaio_10/milano-terapie-intensive-collasso-l-influenza-gia-48-malatigravimolte-operazioni-rinviate-c9dc43a6-f5d1-11e7-9b06-fe054c3be5b2.shtml?refresh_ce-cphttps://milano.corriere.it/notizie/cronaca/18_gennaio_10/milano-terapie-intensive-collasso-l-influenza-gia-48-malati-gravi-molte-operazioni-rinviate-c9dc43a6-f5d1-11e7-9b06-fe054c3be5b2.shtml?refresh_ce-cp

(103) https://www.tagesschau.de/inland/antibiotika-keime-resistent-101.html

(104) https://de.statista.com/statistik/daten/studie/248981/umfrage/altersstruktur-in-den-eu-laendern/

(105) https://www.swp.de/panorama/coronavirus-italien-aktuellwieso-sterben-in-italien-so-viele-an-corona-wieso-hat-italiensoviele-infizierte-zahlen-tote-gruende-45080326.html

(106) https://jamanetwork.com/journals/jamainternalmedicine/fullarticle/2764369

(107) https://www.tagesspiegel.de/gesellschaft/panorama/luftverschmutzung-beim-smog-ist-italien-daschinaeuropas/12668866.html

(108) http://www.euro.who.int/__data/assets/pdf_file/0012/91110/E88700.pdf

(109) https://www.atsjournals.org/doi/full/10.1513/AnnalsATS.201810-691OC?url_ver=Z39.882003&rfr_id=ori%3Arid%3Acrossref.org&rfr_dat=cr_pub++0pubmed&

(110) https://www.medrxiv.org/content/10.1101/2020.04.05.20054502v2

(111) https://www.br.de/nachrichten/bayern/trauer-in-corona-zeitenmehr-anzeigen-und-feuerbestattungen,RxZCWs0

(112) https://www.fr.de/politik/coronavirus-corona-krise-usanotarzt-lage-new-york-bronx-zr-13762623.html

(113) https://www.ncbi.nlm.nih.gov/pmc/articles/PMC7167571/pdf/main.pdf

(114) https://ghr.nlm.nih.gov/condition/glucose-6-phosphate-dehydrogenase-deficiency#statistics

Coronavirus situation in germany

german narrative

(115) https://www.bz-berlin.de/berlin/charite-chefvirologe-warnt-vor-dramatischer-corona-welle-im-herbst

pandemic is declared

(116) https://www.tagesspiegel.de/politik/coronavirus-in-europaletalitaet-in-deutschland-30-mal-niedriger-als-in-italien-wieistdas-moeglich/25626678.html
(117) https://twitter.com/bmg_bund/status/1238780849652465664
(118) https://www.thelocal.de/20200316/coronavirus-restrictions-whats-closed-and-whats-open-in-germany
(119) https://www.statnews.com/2020/03/17/a-fiasco-in-the-making-as-the-coronavirus-pandemic-takes-hold-we-are-making-decisions-without-reliable-data/
(120) https://www.tagesschau.de/investigativ/ndr/coronavirus-studie-london-101.html
(121) http://www.rationaloptimist.com/blog/lockdown-and-mathematical-guesswork/
(122) https://www.aerzteblatt.de/nachrichten/111209/Exponentielles-Wachstum-RKI-mahnt-eindringlich-zum-Abstandhalten
(123) https://www.rki.de/DE/Content/InfAZ/N/Neuartiges_Coronavirus/Modellierung_Deutschland.pdf?__blob=publicationFile

Nationwide lockdown

(124) https://www.aerzteblatt.de/nachrichten/111286/Deutsche-Krankenhaeuser-nehmen-COVID-19-Patienten-aus-Italien-undFrankreich-auf

(125) https://www.welt.de/politik/deutschland/article206895285/Coronavirus-So-weit-ist-Deutschland-von-Merkels-Zielvorgabeentfernt.html

(126) https://www.zdf.de/nachrichten/politik/f21-corona-dokument-innenministerium-100.html

(127) https://www.capital.de/wirtschaft-politik/innenministerium-warnt-vor-wirtschaftscrash

(128) http://dx.doi.org/10.25646/6692.2

April 2020: no reason to prolong the lockdown

(129) https://www.faz.net/aktuell/wirtschaft/fehlplanung-der-politikin-den-kliniken-stehen-betten-leer-16725981.html

The lockdown is extended

Mandatory masks

(130) https://www.ecdc.europa.eu/sites/default/files/documents/COVID-19-use-face-masks-community.pdf

(131) https://academic.oup.com/annweh/article/54/7/789/202744

(132) https://bmjopen.bmj.com/content/5/4/e006577

(133) https://www.who.int/publications/i/item/advice-on-the-use-of-masks-in-the-community-during-home-care-and-in-

healthcare-settings-in-the-context-of-the-novel-coronavirus-(2019-ncov) -outbreak
(134) http://ftp.iza.org/dp13319.pdf
(135) https://edoc.rki.de/bitstream/handle/176904/6601.2/16_2020_2.Artikel.pdf?sequence=3&isAllowed=y
(136) https://www.rcreader.com/commentary/masks-dont-work-covid-a-review-of-science-relevant-to-covide-19-social-policy
(137) https://infekt.ch/2020/04/atemschutzmasken-fuer-alle-medienhype-oder-unverzichtbar/
(138) https://www.n-tv.de/panorama/Drosten-warnt-vor-zweiter-Corona-Welle-article21726926.html
(139) https://www.welt.de/gesundheit/article2295849/Erst-Bakterienfuehrten-zur-toedlichen-Katastrophe.html
(140) https://www.sciencedirect.com/science/article/pii/S1386653218300325?via%3Dihub
(141) https://jcm.asm.org/content/36/2/539.long
(142) https://www.welt.de/wissenschaft/article207456203/Coronavirus-Stefan-Homburg-und-die-Grafik-ueber-die-Deutschlandspricht.html
(143) https://www.stern.de/gesundheit/news-im-video--drosten-warnt---deutsche-koennten-corona-vorsprungverspielen9236028.html
(144) https://www.msn.com/de-de/nachrichten/coronavirus/rkiwarnt-in-coronavirus-krise-reproduktionszahl-wiederüberkritischem-wert-1/ar-BB13RlEi?ocid=spartandhp
(145) https://www.sueddeutsche.de/gesundheit/coronavirenuebersterblichkeit-COVID-19-statistischesbundesamt-1.4893709
(146) https://www.nordkurier.de/politik-und-wirtschaft/seehofer-stellt-corona-kritiker-kalt-1439370305.html
(147) https://www.nature.com/articles/s41586-020-2405-7

(148) https://www.nature.com/articles/s41586-020-2405-7#article-comments
(149) https://www.thelocal.dk/20200511/why-is-denmark-not-recommending-face-masks-to-the-public

Too much? Too little? What happened?

(150) https://www.bild.de/regional/berlin/berlin-aktuell/coronaklinik-in-berlin-fertig-knapp-500-betten-im-stand-bymodus70577074.bild.html
(151) https://www.deutschlandfunk.de/corona-notfallplaene-inkrankenhaeusern-wir-habengenug.676.de.html?dram:article_id=472287
(152) https://www.aerzteblatt.de/nachrichten/111029/Ueberlastungdeutscher-Krankenhaeuser-durch-COVID-19-lautExpertenunwahrscheinlich
(153) https://www.handelsblatt.com/politik/deutschland/corona-epidemie-rki-zahl-der-intensivbetten-wirdnichtreichen/25712008.html?ticket=ST-3691123-xCgN9jb0yWPZsyeB97s7-ap5
(154) https://www.bmi.bund.de/SharedDocs/downloads/DE/veroeffentlichungen/2020/corona/szenarienpapier-covid-19.pdf;jsessionid=8FAD89A1832ABFC4DB485C5625C8DE71.2_cid295?__blob=publicationFile&v=4
(155) https://www.tagesschau.de/investigativ/ndr/krankenhaeuserkurzarbeit-101.html
(156) https://eu.usatoday.com/story/news/health/2020/04/02/coronavirus-pandemic-jobs-us-health-care-workersfurloughedlaid-off/5102320002/
(157) https://off-guardian.org/2020/05/06/covid19-are-ventilatorskilling-people/
(158) https://www.doccheck.com/de/detail/articles/26271-COVID-19-beatmung-und-dann

(159) https://www.dailymail.co.uk/news/article-8262351/Nurse-New-York-claims-city-killing-COVID-19-patientsputtingventilators.html
(160) https://www.tagesschau.de/investigativ/monitor/beatmung-101.html
(161) https://www.vpneumo.de/fileadmin/pdf/f2004071.007_Voshaar.pdf
(162) https://www.mdr.de/wissen/so-funktioniert-beatmungintensivstation-corona-100.html
(163) https://www.who.int/news-room/commentaries/detail/modesof-transmission-of-virus-causing-covid-19-implications-foripcprecaution-recommendations
(164) https://www.nejm.org/doi/full/10.1056/NEJMc2004973
(165) https://www.cell.com/pb-assets/journals/research/cell-hostmicrobe/PDFs/chom_2285_preproof.pdf
(166) https://www.deutschlandfunk.de/palliativmedizinerzu-COVID-19-behandlungen-sehrfalsche.694.de.html?dram:article_id=474488

Were the measures appropriate?

Collateraldamage

(167) https://www.nytimes.com/2020/03/20/opinion/coronaviruspandemic-social-distancing.html
(168) https://www.facebook.com/cnn/posts/10160799274796509
(169) https://thehill.com/opinion/healthcare/494034-the-data-are-instop-the-panic-and-end-the-total-isolation
(170) https://www.tagesspiegel.de/politik/bundestagspraesident-zurcorona-krise-schaeuble-will-dem-schutz-des-lebens-nichtallesunterordnen/25770466.html

(171) https://www.swr.de/swraktuell/schaeuble-wertediskussion-zucorona-100.html
(172) https://www.wider.unu.edu/publication/estimates-impact-COVID-19-global-poverty
(173) https://www.faz.net/aktuell/wirtschaft/usa-notenbank-federwartet-dramatischen-einbruch-der-wirtschaft-16774864.html
(174) https://www.spiegel.de/wirtschaft/corona-krise-in-denusa-der-auftakt-der-tragoedie-a-532f7a6b-3a0d-4a8fa38ddb91ead7990b
(175) https://www.tagesschau.de/wirtschaft/corona-eurozonerezession-101.html
(176) https://www.spiegel.de/wirtschaft/corona-krise-das-wird-einzangenangriff-auf-deutschlands-wohlstand-a-eaf27caa-342d4aca-bcb1-e84b15ca5a2d
(177) https://www.faz.net/aktuell/wirtschaft/corona-krise-warumdie-arbeitslosigkeit-in-deutschland-steigt-16753941.html
(178) https://www.bundesfinanzministerium.de/Content/DE/Standardartikel/Themen/Schlaglichter/Corona-Schutzschild/202003-13-Milliarden-Schutzschild-fuer-Deutschland.html
(179) https://www.ctvnews.ca/health/coronavirus/75-000-americans-at-risk-of-dying-from-overdose-or-suicide-duetocoronavirus-despair-group-warns-1.4930801
(180) https://www.telegraph.co.uk/news/2020/05/07/australia-fearssuicide-spike-due-virus-shutdown/
(181) https://www.bz-berlin.de/ratgeber/coronavirus-lockdownmehr-tote-durch-schlaganfaelle-infarkte-und-suizide-erwartet
(182) https://www.medicalnewstoday.com/articles/252985
(183) https://www.tagesspiegel.de/wissen/die-gesundheitlichenfolgen-des-lockdowns-jetzt-sind-es-30-prozentwenigerherzinfarkte-doch-spaeter-werden-es-wohl-mehr/25834148.html

(184) https://bjssjournals.onlinelibrary.wiley.com/doi/abs/10.1002/bjs.11746
(185) https://de.statista.com/statistik/daten/studie/1013307/umfrage/sterbefaelle-in-deutschland-nach-alter/
(186) https://www.change.org/p/bundeskanzlerin-coronasch%C3%BCtzen-sie-%C3%A4ltere-nicht-um-diesenpreisselbstbestimmt-altern-und-sterben
(187) https://www.unicef.de/informieren/aktuelles/presse/2020/risiken-fuer-kinder-bei-eindaemmung-des-coronavirus/213060
(188) https://www.deutschlandfunkkultur.de/sozialethiker-kritisiertlange-kitaschliessungenkinder.1008.de.html?dram:article_id=474595
(189) https://www.focus.de/familie/eltern/meidinger-zuschulschliessungen-deutschlands-lehrer-chef-ein-viertel-allerschuelerabgehaengt_id_11878788.html
(190) https://www.zdf.de/nachrichten/panorama/coronaviruskinderschutz-jugendamt-100.html
(191) https://www.faz.net/aktuell/wirtschaft/un-warnt-auf-coronafolgt-die-hungersnot-16736443.html
(192) https://www.nature.com/articles/d41586-020-01011-6
(193) https://www.welt.de/wirtschaft/plus207258427/Schwedenals-Vorbild-Finanzwissenschaftler-gegen-CoronaLockdown.html?ticket=ST-A-1309422-NghISRcCkH30TuFUa0V5-ssosignin-server
(194) https://www.addendum.org/coronavirus/interview-johan-giesecke/
(195) https://www.augsburger-allgemeine.de/panorama/WHOlobt-Sonderweg-Koennen-wir-vom-Modell-Schwedenlernenid57329376.html
(196) https://www.youtube.com/watch?v=WFkMIlKyHoI

(197) https://www.tagesspiegel.de/wissen/von-hongkong-lernenwo-die-coronavirus-pandemie-ohne-lockdownbewaeltigtwird/25752346.html
(198) https://www.japantimes.co.jp/news/2020/03/20/national/coronavirus-explosion-expected-japan/
(199) https://www.businessinsider.com/south-korea-coronavirustesting-death-rate-2020-3?r=DE&IR=T
(200) https://www.who.int/influenza/publications/public_health_measures/publication/en/
(201) https://www.youtube.com/watch?v=bl-sZdfLcEk
(202) https://ltccovid.org/2020/04/12/mortality-associated-with-COVID-19-outbreaks-in-care-homes-earlyinternationalevidence/
(203) http://pflegeethik-initiative.de/2020/04/15/corona-krisefalsche-prioritaeten-gesetzt-und-ethische-prinzipien-verletzt/
(204) https://kafkadesk.org/2020/06/29/no-second-wave-despite-record-surge-in-new-covid-19-cases-says-czech-minister/
(205) https://www.swissinfo.ch/eng/mandatory-face-masks-should-not-pose-problems--says-swiss-train-boss/45879254
(206) https://www.fr.de/kultur/tv-kino/corona-talk-anne-will-ardhart-trifft-neue-normalitaet-zr-13667631.html
(207) https://www.bundesfinanzministerium.de/Content/DE/Standardartikel/Themen/Schlaglichter/Konjunkturpaket/2020-06-03-eckpunktepapier.pdf?__blob=publicationFile&v=10
(208) https://www.tagesschau.de/ausland/gates-corona-101.html

On the question of immunity against COVID-19

(209) https://www.cell.com/immunity/fulltext/S1074-7613(16) 30160-1?_returnURL=https%3A%2F%2Flinkinghub.elsevier.com%2Fretrieve%2Fpii%2FS1074761316301601%3Fshowall%3Dtrue
(210) https://www.researchsquare.com/article/rs-35331/v1
(211) https://www.cell.com/cell/fulltext/S0092-8674(20) 30610-3
(212) https://www.biorxiv.org/content/10.1101/2020.06.29.174888v1
(213) https://science.sciencemag.org/content/368/6494/1012.long
(214) https://www.nature.com/articles/d41586-020-00751-9
(215) https://www.sciencemag.org/news/2020/07/scientists-scoff-indian-agencys-plan-have-covid-19-vaccine-ready-use-next-month
(216) https://www.rki.de/SharedDocs/FAQ/COVID-Impfen/COVID-19-Impfen.html
(217) https://www.tandfonline.com/doi/full/10.1080/14760584.2018.1419067
(218) https://www.nature.com/articles/d41586-020-01221-y
(219) https://science.sciencemag.org/content/368/6494/945
(220) https://jamanetwork.com/journals/jama/article-abstract/336928
(221) https://academic.oup.com/aje/article/89/4/422/198849
(222) https://jvi.asm.org/content/87/9/4907.long
(223) https://www.nature.com/articles/3302213
(224) https://link.springer.com/protocol/10.1007%2F978-1-62703-110-3_27
(225) https://www.nature.com/articles/nrd.2017.243

(226) https://www.ncbi.nlm.nih.gov/pmc/articles/PMC3127275/

(227) https://www.deutschlandfunkkultur.de/weltgesundheitsorganisation-derverhaengnisvolleeinfluss.1008.de.html?dram:article_id=386282

(228) https://www.deutschlandfunk.de/schweinegrippe-die-ruhe-vordem-sturm.709.de.html?dram:article_id=88702

(229) https://www.spiegel.de/wissenschaft/medizin/schutz-vorschweinegrippe-kanzlerin-und-minister-sollen-speziellenimpfstofferhalten-a-655764.html

(230) https://www.forbes.com/2010/02/05/world-healthorganization-swine-flu-pandemic-opinions-contributorsmichaelfumento.html#14467d5248e8
https://www.ibtimes.co.uk/brain-damaged-uk-victims-swine-flu-vaccine-get-60-million-compensation-1438572

(231) https://www.bmj.com/content/350/bmj.h3205.long

(232) https://www.sciencedirect.com/science/article/pii/S0896841114000389?via%3Dihub

(233) https://www.infosperber.ch/Artikel/Medien/Corona-Medienverbreiten-weiter-unbeirrt-statistischen-Unsinn

(234) https://www.handelsblatt.com/technik/medizin/gerdgigerenzer-im-interview-risikoforscher-erklaert-das-koennenwirgegen-die-angst-vor-dem-coronavirus-tun/25624846.html?ticket=ST-11166-DrdiCebSiMSo7MZNNphD-ap5

(235) https://www.heise.de/tp/features/Von-der-fehlenden-wissenschaftlichen-Begruendung-der-Corona-Massnahmen-4709563.html?seite=all

(236) https://off-guardian.org/2020/03/24/12-experts-questioningthe-coronavirus-panic/

(237) https://off-guardian.org/2020/03/28/10-more-expertscriticising-the-coronavirus-panic/

(238) https://rdl.de/beitrag/kritik-corona-berichterstattung-derffentlich-rechtlichen-medien
(239) https://www.zdf.de/nachrichten/panorama/coronavirusfaktencheck-bhakdi-100.html
(240) https://www.businessinsider.com/youtube-will-ban-anythingagainst-who-guidance-2020-4?r=DE&IR=T
(241) https://novuscomms.com/2020/03/31/a-view-from-the-hvivoopen-orphan-orph-laboratory-professor-john-oxford
(242) https://de.statista.com/statistik/daten/studie/158441/umfrage/anzahl-der-todesfaelle-nach-todesursachen/
(243) https://deutsch.rt.com/europa/102434-osterreich-expertenwaren-gegen-lockdown/
(244) https://www.youtube.com/watch?v=Gf4y0HoEkCU
(245) https://www.rundblick-niedersachsen.de/finanz-professor-dasist-das-groesste-umverteilungsprogramm-in-friedenszeiten/
(246) https://www.rubikon.news/artikel/der-corona-totalitarismus

著者紹介

スチャリット・バクディ

微生物及び感染症・疫病学博士、22年間にわたり、ヨハネス・グーテンベルク・大学、マインツの病理微生物及び衛生学研究所主任教授として、医療、教鞭、研究に従事。免疫学、細菌学、ウイルス学及び心臓-循環器疾患の分野で、300以上の論文を執筆。数々の賞の他にライラント・ファルツ州から、長年の功績に対して功労賞が授与された。

カリーナ・ライス

細胞生物学博士、キール大学皮膚科学クリニック教授。15年来、生化学、感染症、細胞生物学、医学に従事。60以上の国際的専門誌への投稿があり、そのうちのいくつかで国際的賞を受賞している。バクディ氏は夫。

大橋眞（おおはし・まこと）

京都大学薬学部卒、医学博士、徳島大学名誉教授、モンゴル国立医科大学客員教授。専門は感染症、免疫学。マラリア・住血吸虫症などの感染症をモデルとした免疫病理学や診断法開発、自己免疫疾患に対するワクチン研究を専門としながら、市民参加の対話型大学教養教育モデルを研究してきた。開発途上国における医療の課題解決にも取り組んでいる。

翻訳者紹介

鄭基成（チョン キソン）

翻訳家。上智大学外国語学部ドイツ語学科卒、ドイツ、ルール大学ボーフムにて言語学学術博士号取得、上智大学講師、茨城大学教授、同大学名誉教授。訳書に『メイク・ザット・チェンジ—世界を変えよう　精神の革命家、そのメッセージと運命』（日曜社）（共訳）、『スターウォーカー——ラファエル少年失踪事件』（日曜社）

コロナパンデミックは、本当か?

——コロナ騒動の真相を探る

2020年11月20日　初版第1刷発行

著　者　スチャリット・バクディ & カリーナ・ライス
訳　者　鄭基成
翻訳監修・補足　大橋眞
発行者　鄭基成
発行所　日曜社
〒170-0003 東京都豊島区駒込1-42-1 第3米山ビル4F
電話　090-6003-7891

カバーデザイン　岡本デザイン室
印刷・製本所　藤原印刷株式会社

ISBN 978-4-9909696-2-2